やさしいアレンジ！

日本の郷愁・ギターの旅

岩見谷洋志――編

はじめに

幼いころから耳に親しみ口ずさんできた日本の歌、童謡、抒情歌を集めてギター・ソロの曲集を作りました。選曲は既刊の「日本の抒情・ギターの旅」と重複しないようになっていますので、皆さんのレパートリーに加えてください。

編曲に際しては原曲のイメージを大切にしながら、できるだけやさしく弾けるように考えてあります。また、曲の配列はやさしいものから順番に並べてあります。後半の中級編も急に難しくなるわけではなく、大体の目安と考えてください。

よく知っている曲をギターで弾く楽しさを感じていただければ幸いです。

岩見谷　洋志

"A JOURNEY TO JAPAN" playing on Guitar

日本の郷愁・ギターの旅　目次

初級編

中級編

中級編　演奏アドヴァイス

竹田の子守歌

最初のセーハは7フレットを③弦までセーハしてください。3段目・4小節目の装飾音は①弦の開放ミを弾いたあと、すばやく左手3で①弦の2フレット・ファ♯をたたいて音を出します。フォークギターではh.o（ハンマリング・オン）と記され、よく出てきます(難しいときは省略して構いません)。𝄐(フェルマータ）はその音の倍くらいの長さで弾いてください。最後のハーモニックスは①②③弦の12フレットに左手4を軽くふれておき、右手*p*･*i*･*m*･*a*の順に弾きます。⑥弦ミはハーモニックスではなく実音です。

今日の日はさようなら

一緒に歌うことも考えて、原曲のままのヘ長調にしました。Fコードの練習と思って頑張ってください。セーハのこつは、左手1の指が丸くならないよう、逆反りするくらいに手首を前に出します。親指と人差指で平行にはさむような感じです。中指2は、まっすぐに立つように左手の肘で調整します。力ではなくフォームが問題ですので、音がうまく出たときのイメージを忘れないように練習してください。

森の小人

最初の小節の低音部についている・はスタッカートで、少し短く切りながら弾きます。この場合は右手*p*で弾いたあと、すぐにその弦に*p*でふれて音を消してから次の音を弾くようにします。2ページ目の4段目・3小節からは間奏になります。左手4のスラーは、左手の力を抜きながら軽くずらす感じで弾き終えたら①弦に止まるようにします。全体的には踊るような気持ち、リズムで弾いてください。

ないしょ話

7フレットあたりのハイポジションを多く使う曲ですので、左手の移動を考えながら弾いてください。2段目・4小節目のスラーは左手4で②弦の4フレット・レ♯を押さえてふつうに弾いたあと、左手4を②弦の7フレット・ファ♯まですべらせて音を出します。右手弾弦はしません。4段目・2小節目のハーモニックスは①弦の7フレットを左手4で軽くふれて右手で弾きます。

子鹿のバンビ

3段目・2小節目の3拍目レからがメロディです。低音部とメロディの弾き分けが難しいので、下向きの伴奏部を小さめに、上向きのメロディを大きめにはっきりさせる気持ちで弾いてください。アレグロ（Allegro）の指定ですが、実際にはアレグレット（Allegretto＝やや速く）くらいでよいと思います。

花かげ

3小節目から出てくる*sf*（スフォルツァンド）は、その音だけ特に強くという意味です。3段目・1小節目の＼1は左手1をすべらせて移動するという意味です。この場合は④弦の4フレット・ファ♯を左手1で押さえて弾いたあと、左手1の力を抜きながら弦上をすべらせて2フレットに移動して、弾くときに少し力を加えて押さえます。4段目・1小節目の装飾音は左手2で③弦の3フレット・ラ♯を押さえて弾いたあと、左手4ですばやく③弦の4フレットをたたいて音を出します。最後のハーモニックス・オクターブは右手*i*で③弦の12フレット上に軽くふれておき、右手*a*で弾き、音が出たら*i*を離します。②①弦も同様です。

朝はどこから

最初のⅦは7ポジション、左手1が7フレットの位置を示しています。左手3は9フレットになり、左手4は10フレットをたたくことになります。3小節目のⅠで1フレットに戻ります。4小節目の12フレットセーハは、左手の手首を前に出して③弦までをセーハします。左手4で①弦の15フレット・ソを押さえます。2段目・3小節目の*meno*（メーノ）は「より少なく」という意味で、この場合は「それほど強くないフォルテで」ということになります。

花

技術的にむずかしいところはないのですが、ある程度の速さが必要とされる曲です。2段目・1小節目の*dolce*（ドルチェ）は「柔らかに、やさしく」という意味です。2ページ目・1段目・4小節目の2拍目のドは、左手3を4に持ち替えてから32分音符を一息で弾きます。3段目・1小節目の④弦のミは、左手2から3に持ち替えて次の小節のファにすべらせます。

牧場の朝

前奏部分が難しいのですが、ハイポジションの練習と思って頑張ってください。2段目・1小節目の最初の音はラ、①弦の17フレットです。次の音はソ、①弦の15フレット、左手2で押さえてから13フレット・ファにすべらせてⅫ(12ポジション）で弾きます。2小節目のファ・レの和音は①弦の13フレットを左手1で押さえ、②弦の15フレットを左手3で押さえます。3小節目の3連符は8分音符1個の間に3個弾きます。

砂山

1小節目の*p*によるアルペジオは、右手のフォームをふつうに弾くときと変わらない状態にしておき、右肘を支点にして弧を描くようにすべりおろします。力を入れて真下の方向に行かないようにしてください。右腕の重さで自然に弾きおろすような気持ちです。2段目・1小節目のアルペジオは、和音を弾くときと同じように*p*･*i*･*m*･*a*を⑥③②①弦にあらかじめふれておきます。それから*p*を⑥⑤④と軽いアポヤンドですべるように弾き、*i*･*m*･*a*はさわった状態からアルアイレで順番に弾いていきます。

中国地方の子守歌

2ページ目の3段目からのharm.8 va（オクターブのハーモ

ニックス）は、右手１本でのハーモニックスです。左手は楽譜の指定通りに押さえておき、右手 *i* で押さえた音の12フレット上に軽くふれ、右手 *a* でその弦を弾き音が出ると同時に *i* を弦から離します。左手が１のときは13フレット上になります。*i* を離すときには右手全体で離すようにしてください。

翼をください

６段目・２小節目から↑（ストローク）の奏法がでてきます。右手 *i* をピックを持つような形で打ちおろします。爪の部分で弾く形になり、ある程度の勢いをつけてアルペジオと同じようにならないようにします。最初の和音は⑤弦から弾くことになりますが、右手 *i* を⑤弦と⑥弦の間に入れてから弾くのではなく、⑥弦より上から大きく打ちおろし、⑥弦に当たらないような気持ちで弾きます。３拍目の２分音符は⑥⑤④弦だけ弾きます。これも③弦で止めるのではなく下まで打ちおろし、③②①弦に当たらないような角度で逃がすようにします。かなり難しいのですが、どの弦までをストロークするかがコントロールできるように練習してください。

蛙の笛

３段目・２小節目の３・４拍目は棒が上向きの③弦のソがメロディです。棒が下向きのミ・レ・ドは伴奏ですので、できるだけ軽く弾き③弦のソーソーが聞こえるように弾いてください。３小節目の２分音符ド・ファも伴奏です。音を鳴らしておいて左手を離さない状態でメロディのド・ラ・ソを *p* でつながるように弾きます。

鎌倉

最初のEspressivo（エスプレッシーヴォ）は「表情を豊かに」という意味です。３段目・３小節目は６ポジションです。２段目・２小節目と同じ音なのですが、次の７フレット・セーハにすばやく移るために別の弦を使っています。Var.2のトレモロは１段目も２段目もテンポは同じです。音符の間隔があいていると、ついゆっくり弾きたくなりますが、全て同じテンポのトレモロになります。

いい日旅立ち

２ページ目・３段目の１・３・４小節目は棒が下向きの音をできるだけ小さく弾きメロディの全音符を邪魔しないようにします。４段目・３小節目の16分音符は左手をあらじめ押さえておき *p*・*i*・*m*・*a* を一息に弾きます。４小節目の低音のリズムを間違わないように休符をしっかりとって弾いてください。最初と最後に出てくる３連符のリズムがとりにくいので、倍くらいのテンポで考えてから弾き、指がなれてからイン・テンポにしてください。

乾杯

メロディのリズムがとりにくいので、よく考えてから弾いてください。基本的なリズムパターンが全て出てくるのでいい練習になります。２ページ目・４段目・３小節目の間奏からはエレキ・ギターのイメージでスラーの部分はチョーキングと考えてください。かなり自由にエレキのソロのような気持ちで弾いてください。３ページ目・１段目・２小節目で一度終わって音を消します。次のTamb.（タンボーラ）はドラムのリズムです。その後は再びエレキ・ギターのイメージで段々フェイド・アウトしていくように終わります。難しいときには３ページ目・１段目・２小節目で終わりにしても全く問題ありません。

—— 曲の配列について ——

初級編・中級編とも、それぞれの収録曲は
やさしい順に配列してあります。
五十音順目次とあわせて利用して下さい。

初級編

うみ

井上武士 作曲

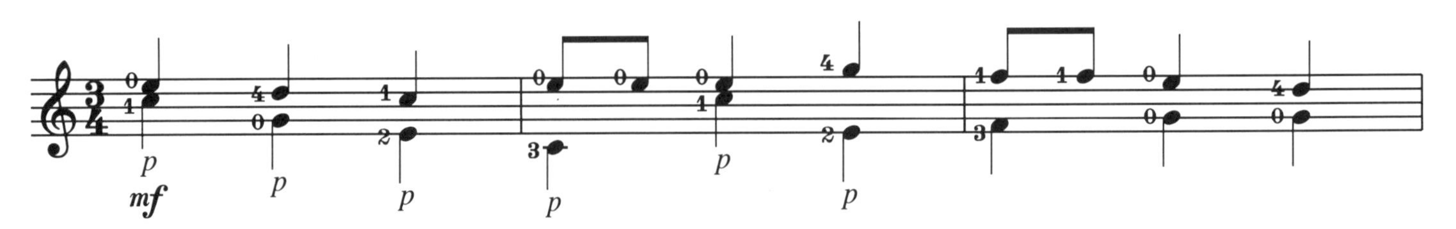

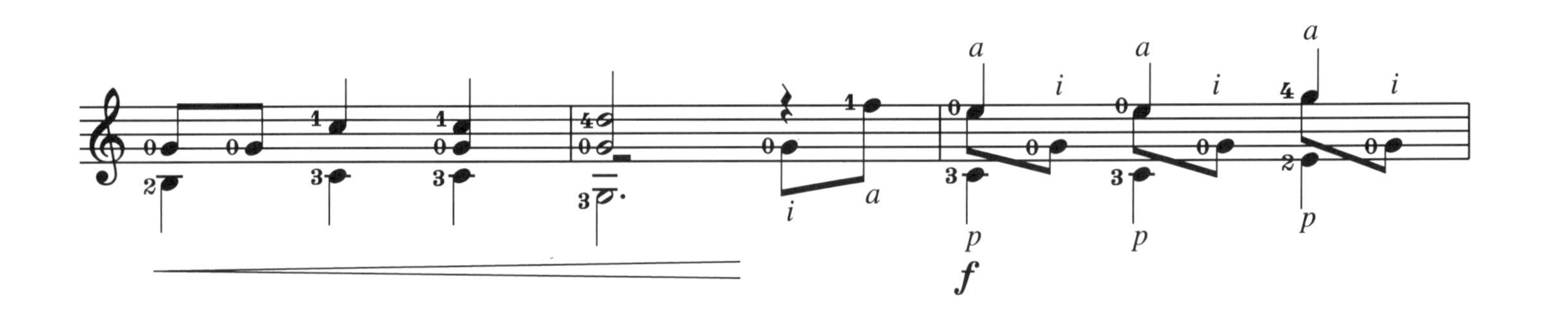

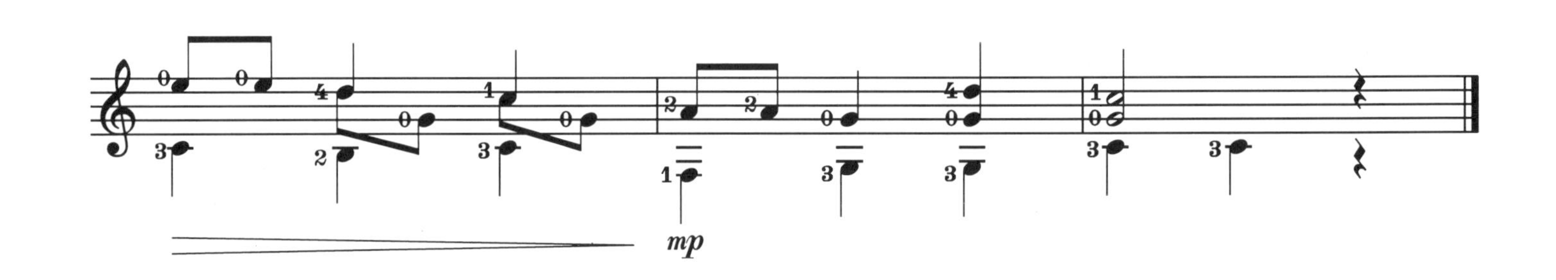

チューリップ

井上武士 作曲

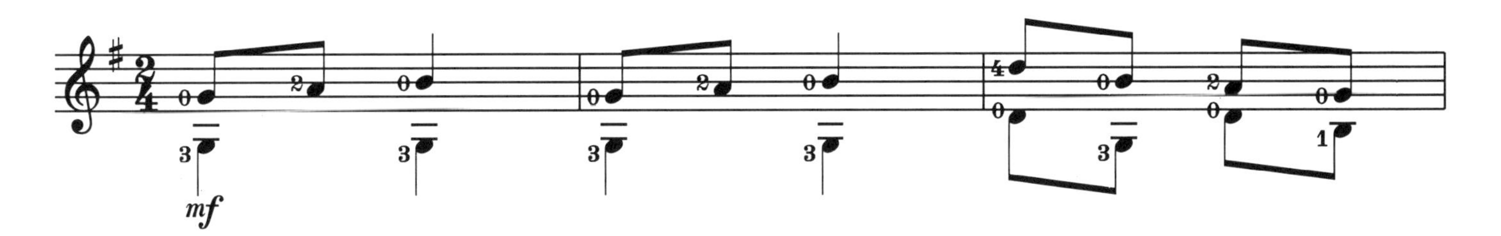

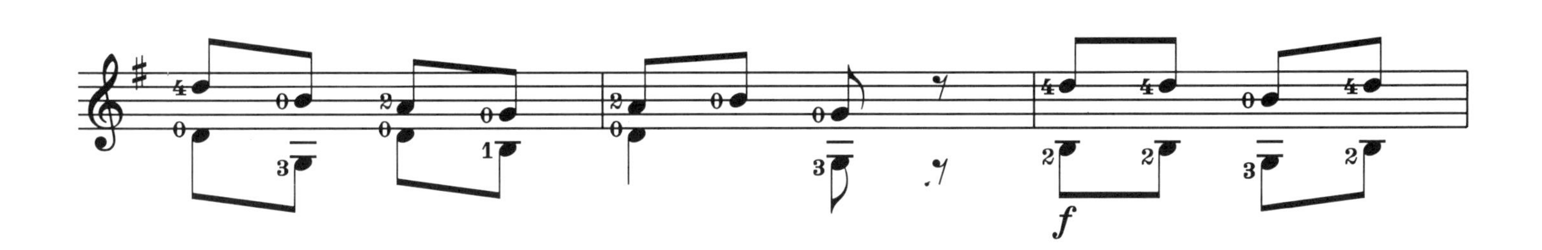

かごめ かごめ

わらべうた

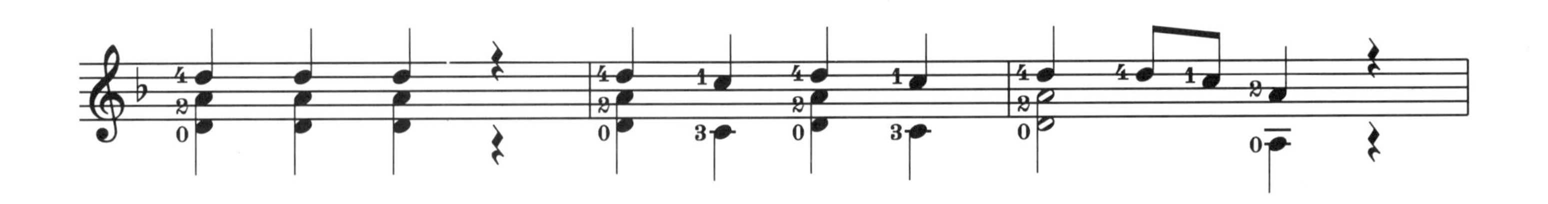

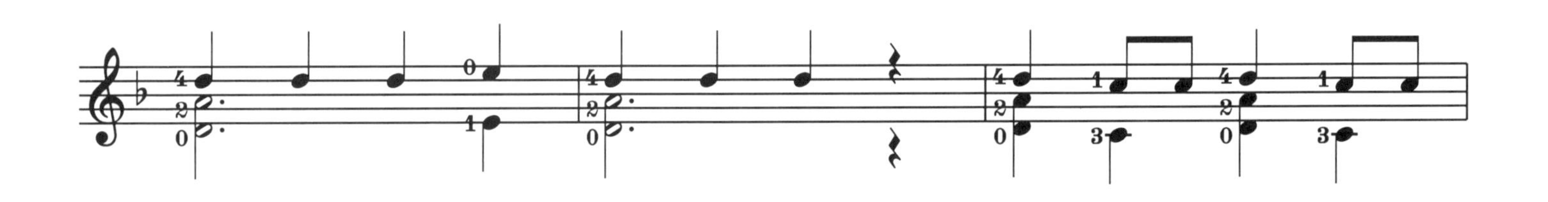

春がきた

岡野貞一 作曲

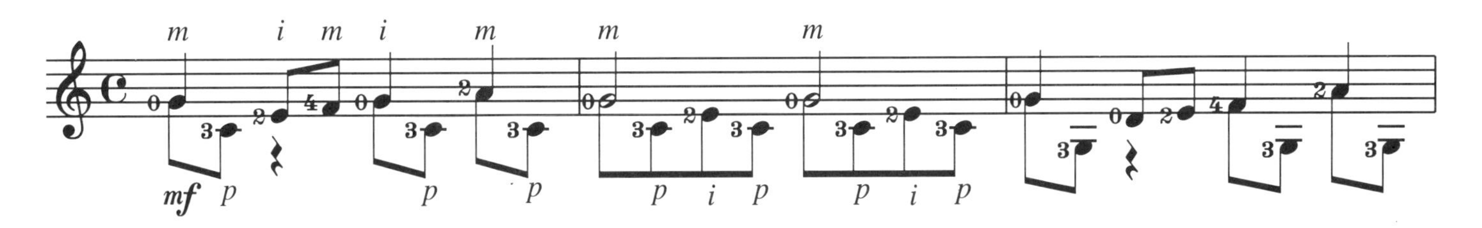

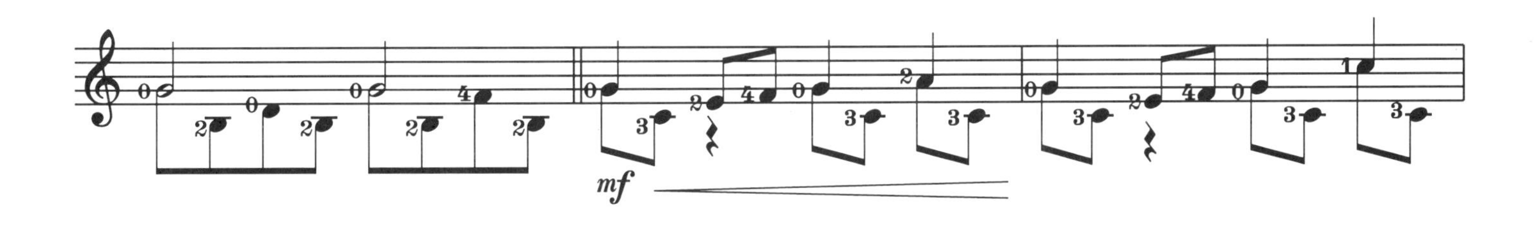

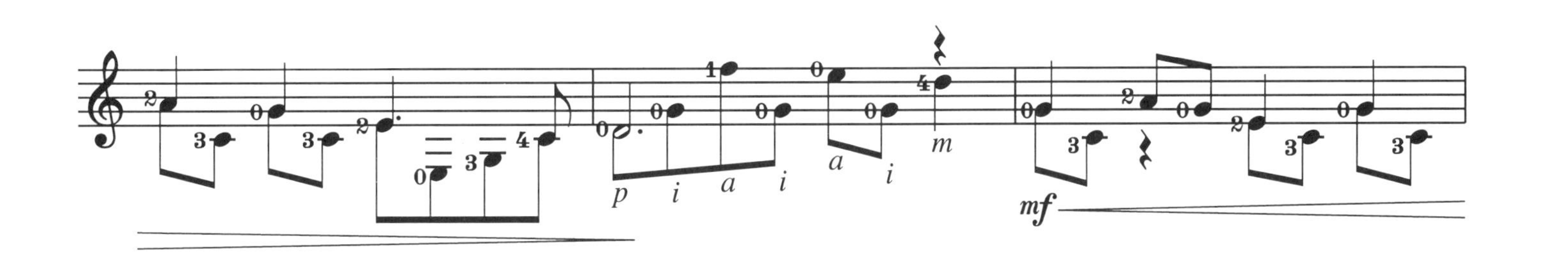

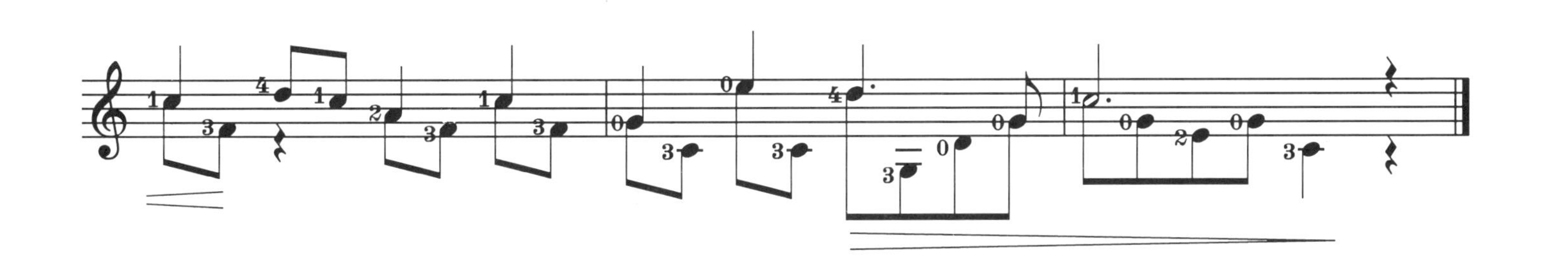

ひらいた ひらいた

わらべうた

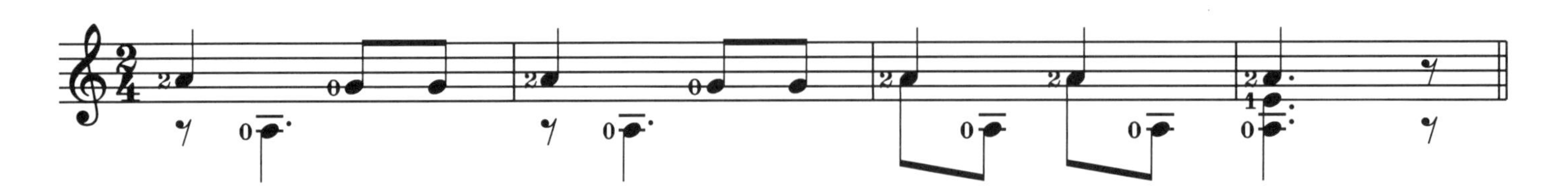

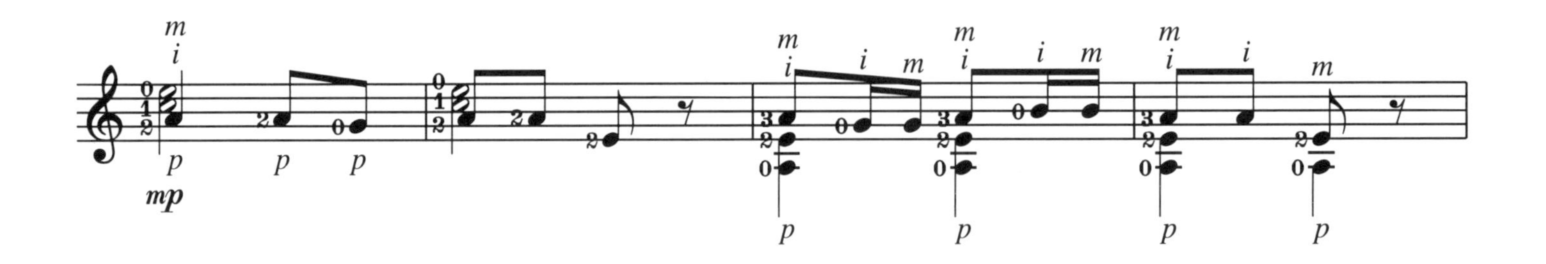

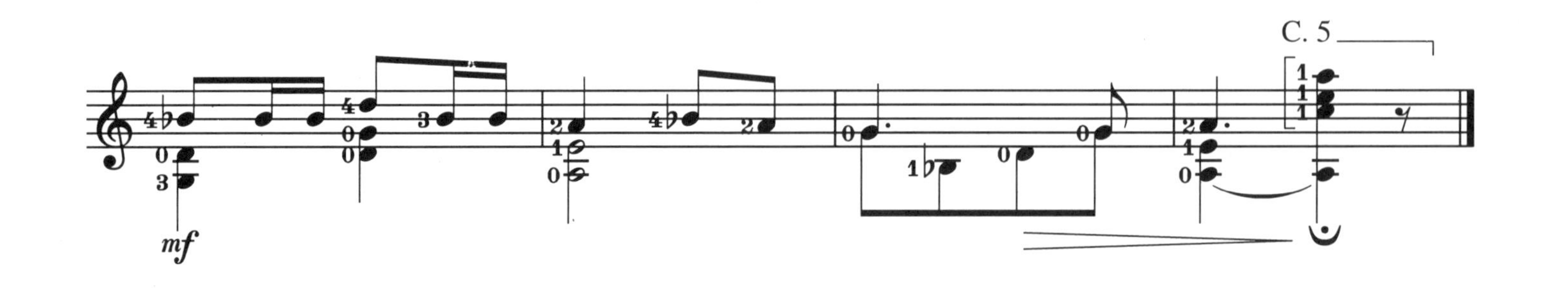

かたつむり

文部省唱歌

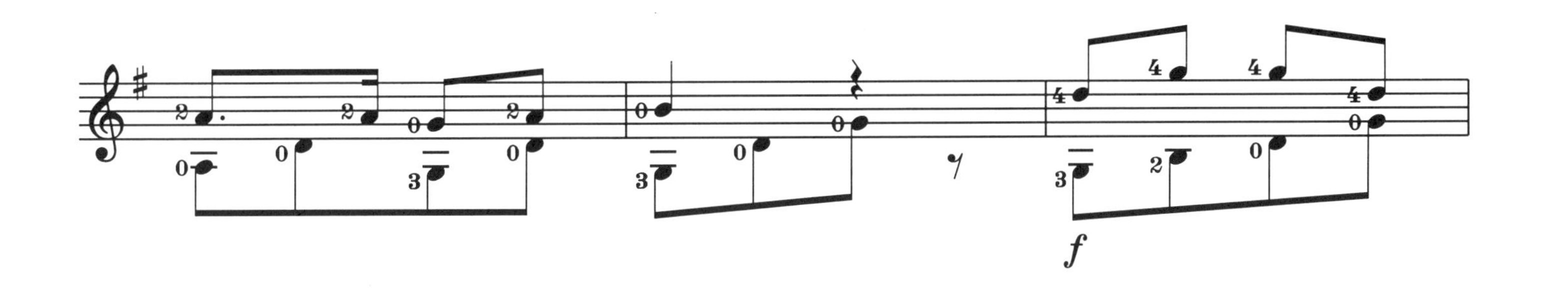

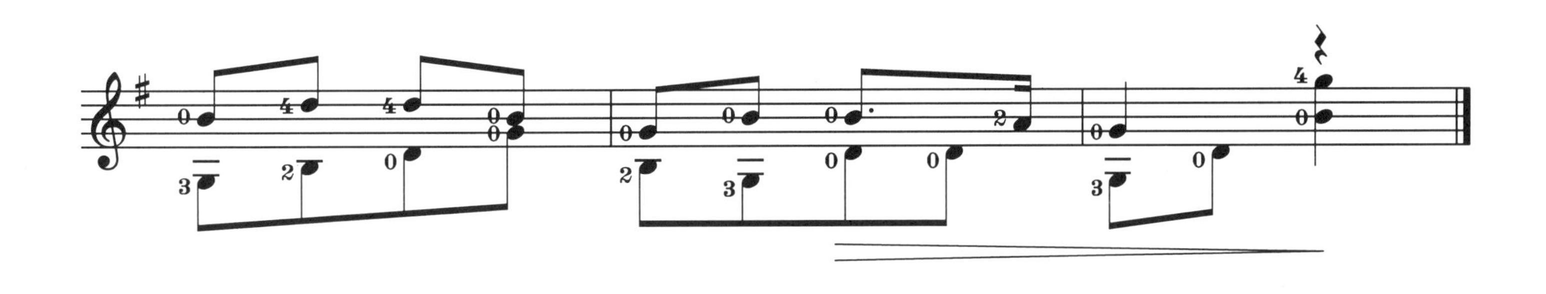

お山のお猿

弘田龍太郎 作曲

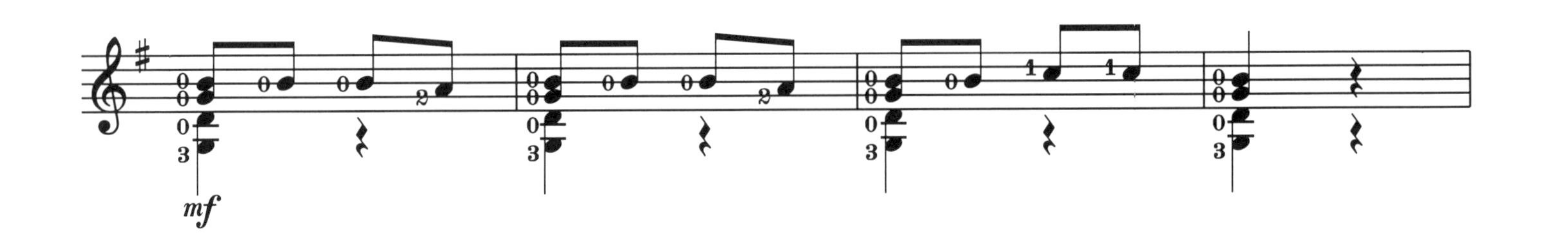

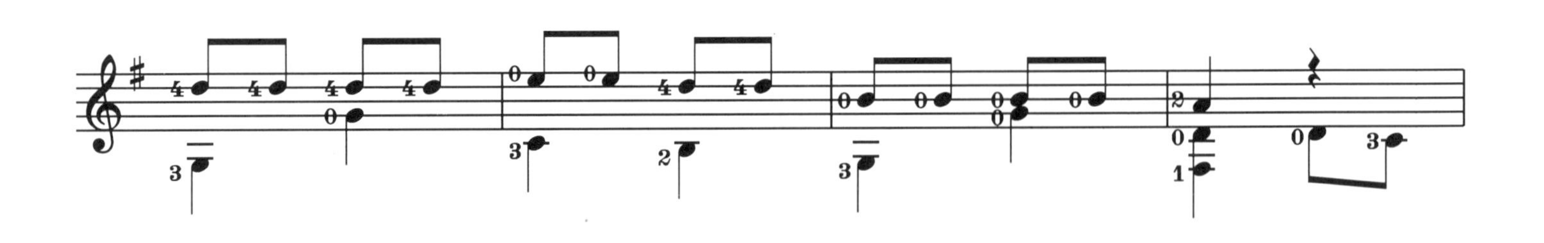

あめふり

中山晋平 作曲

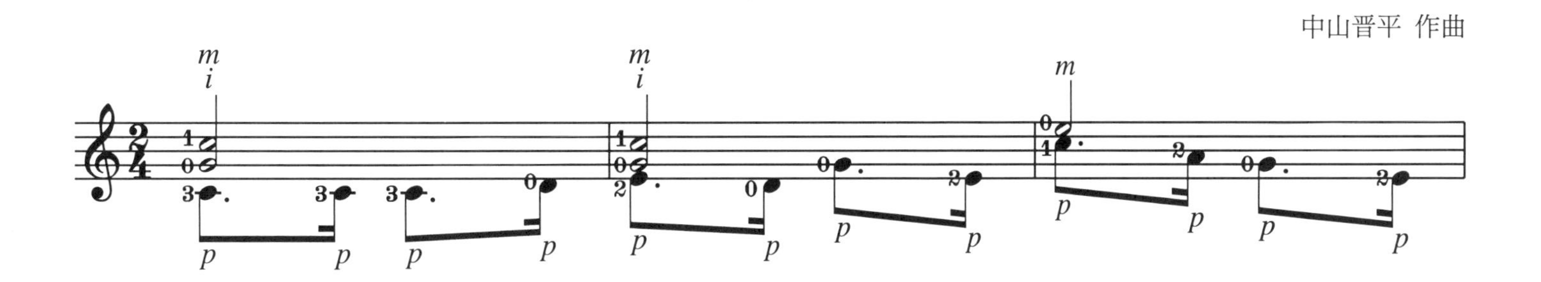

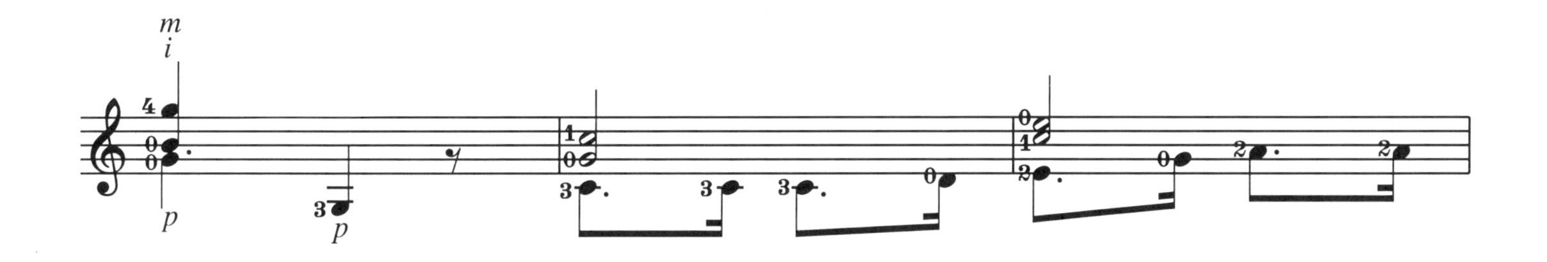

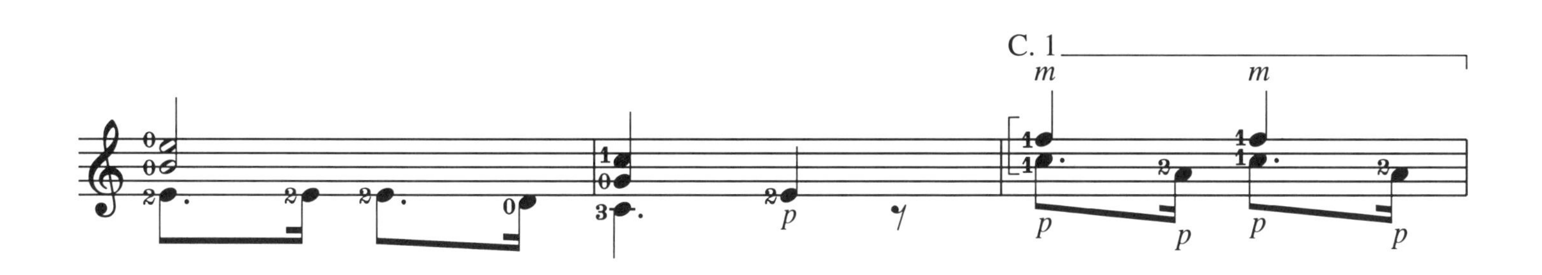

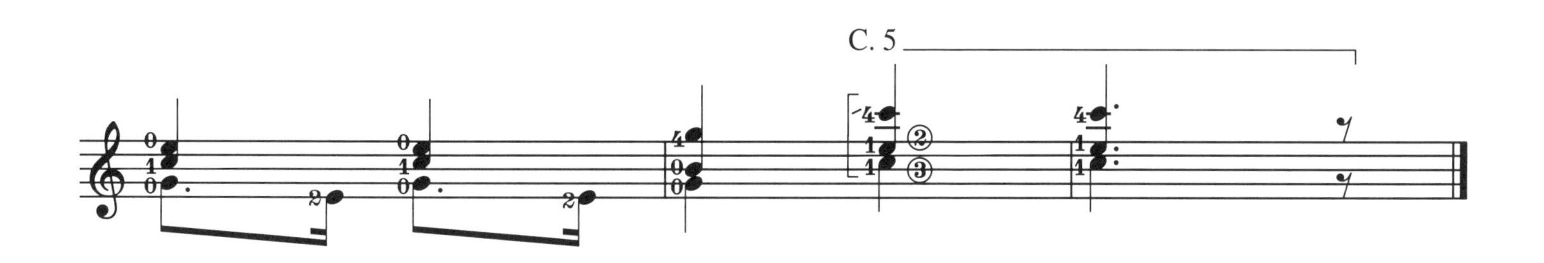

お正月

滝廉太郎 作曲

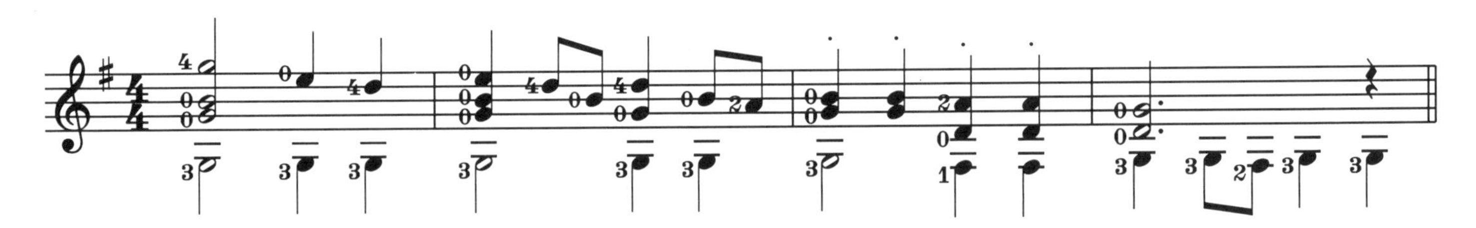

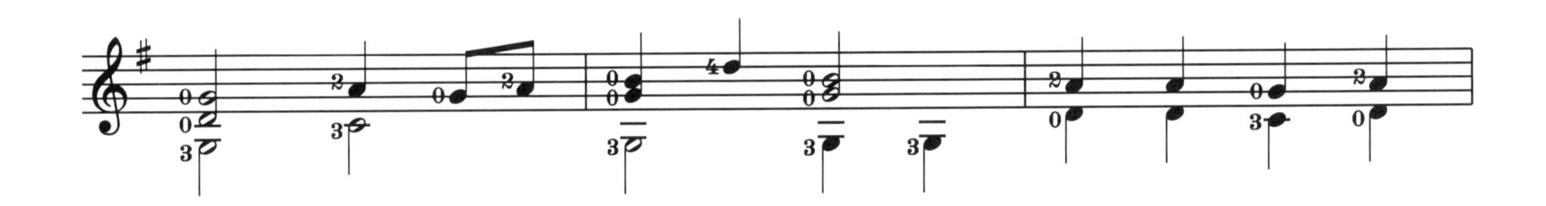

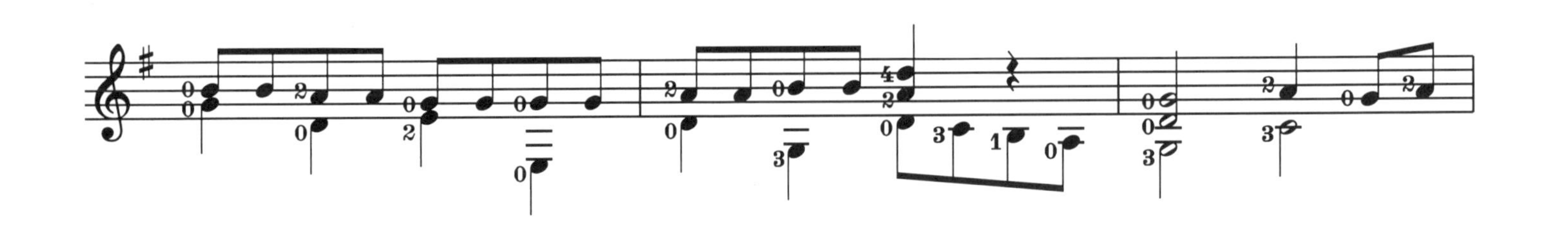

どんぐりころころ

梁田 貞 作曲

野 菊

下総皖一 作曲

あした

弘田龍太郎 作曲

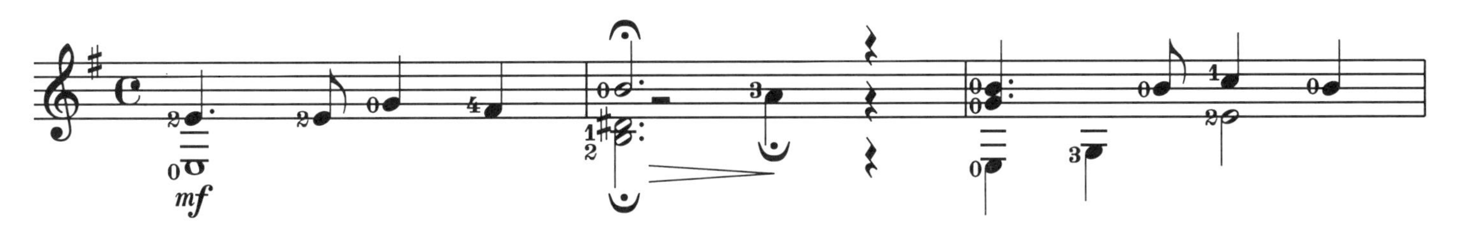

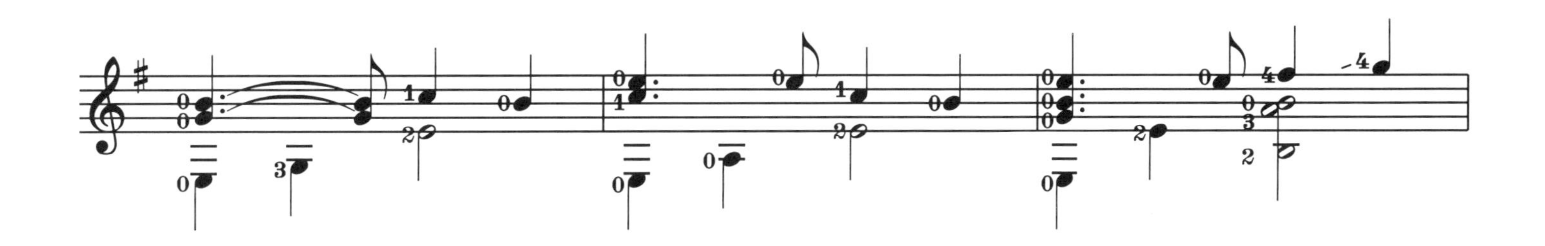

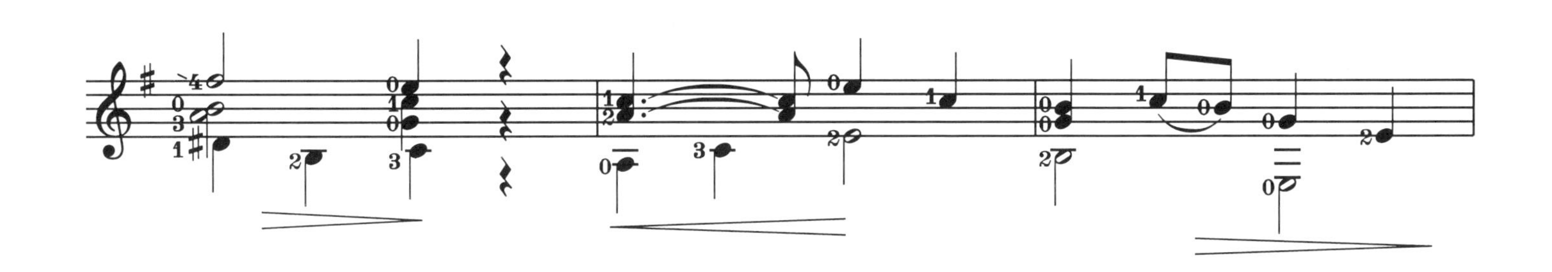

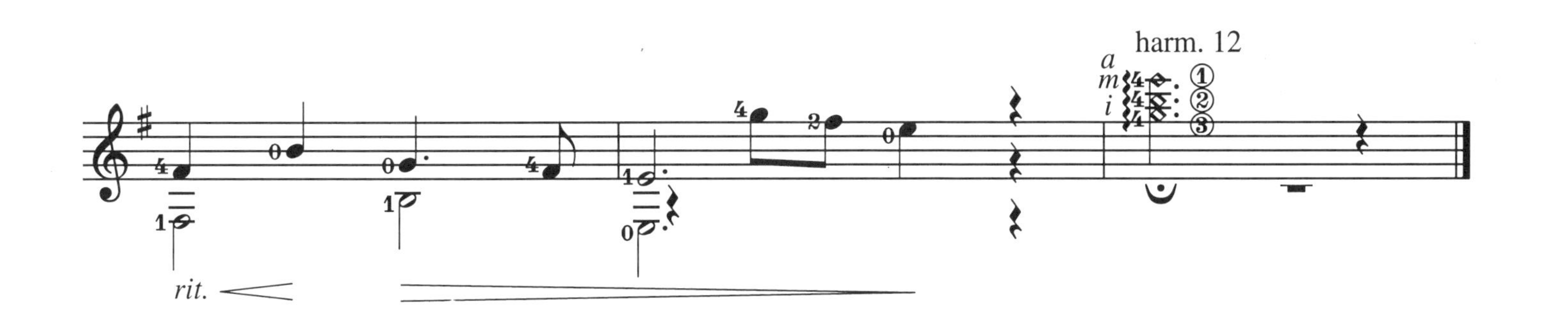

つき

文部省唱歌

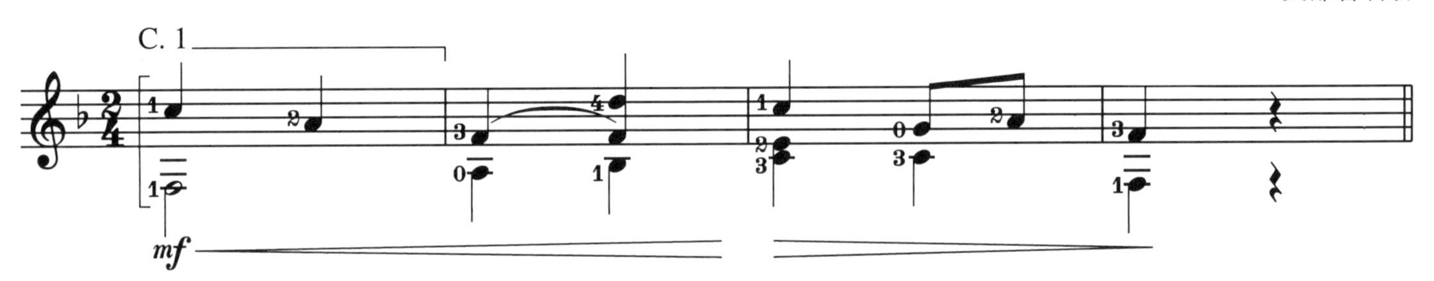

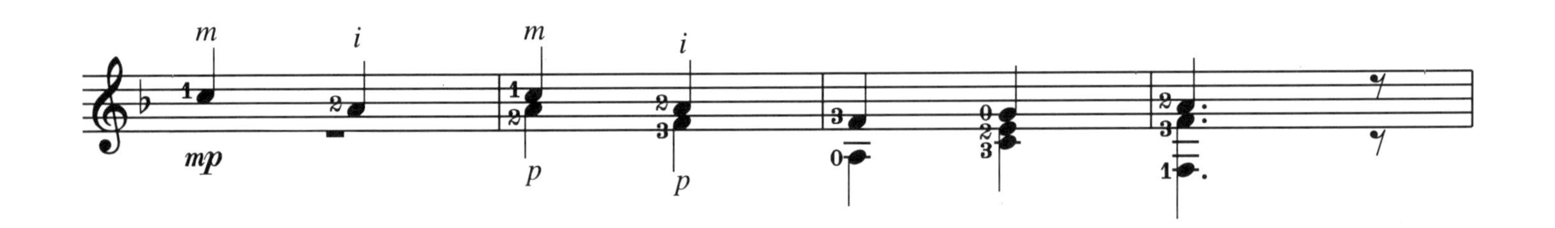

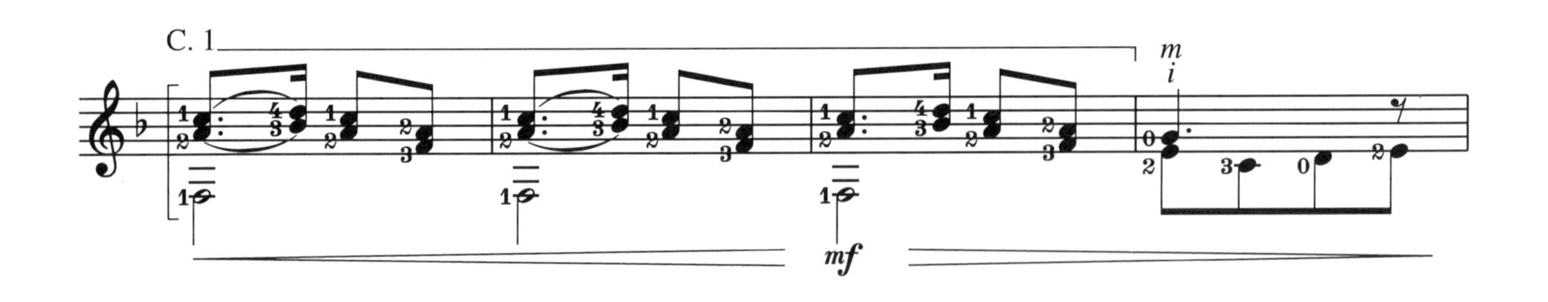

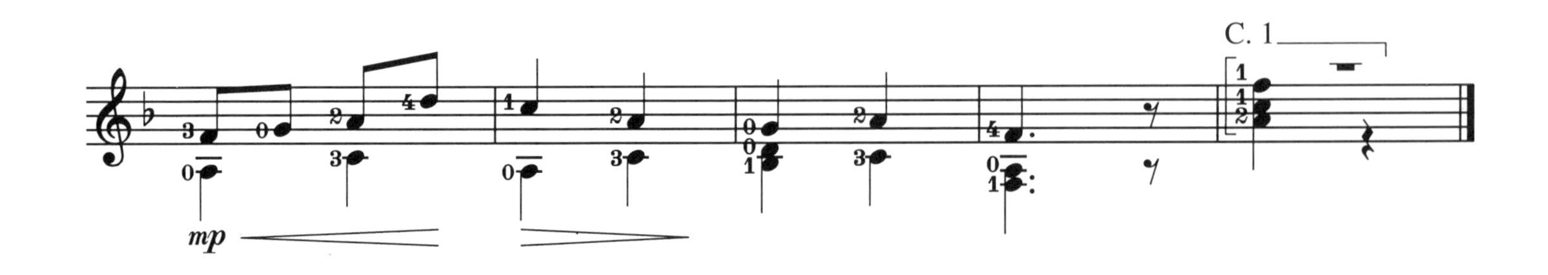

汽車

大和田愛羅 作曲

港

吉田信太 作曲

あんたがたどこさ

わらべうた

村の鍛冶屋

文部省唱歌

かもめの水兵さん

河村光陽 作曲

思い出のアルバム

本田鉄麿 作曲

わかば

平岡均之 作曲

肩たたき

中山晋平 作曲

兎のダンス

中山晋平 作曲

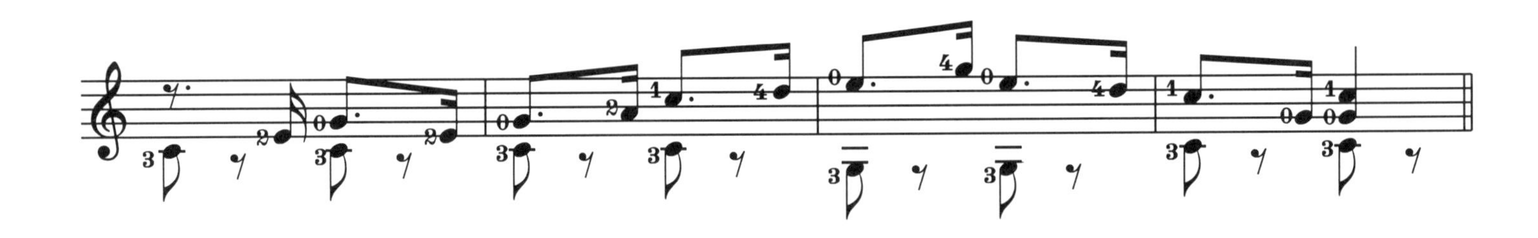

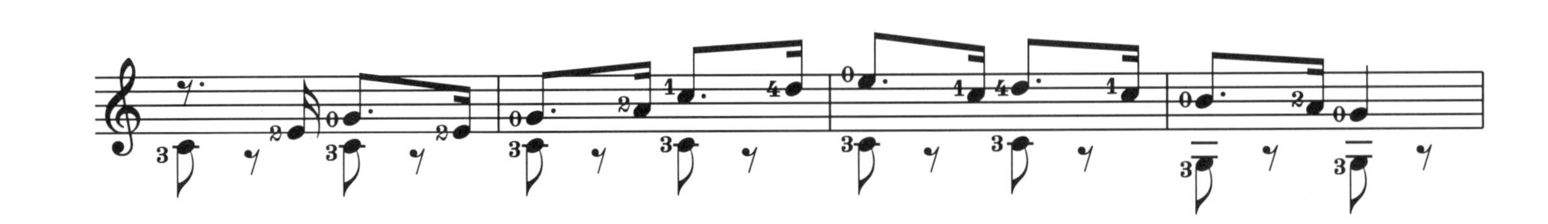

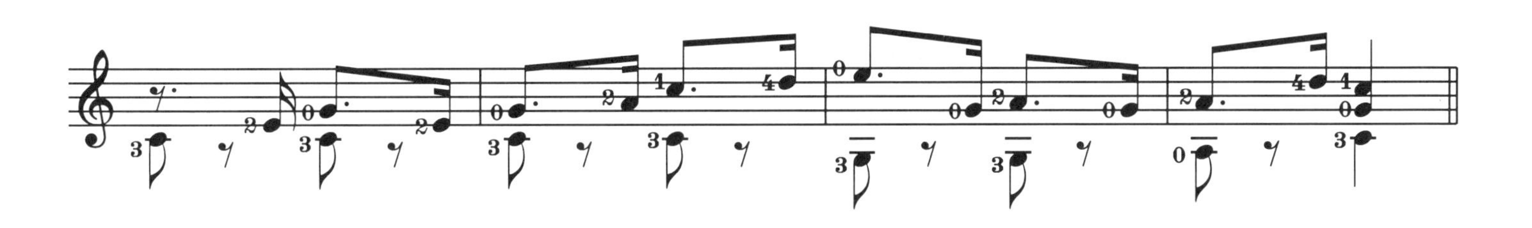

III
I
mf

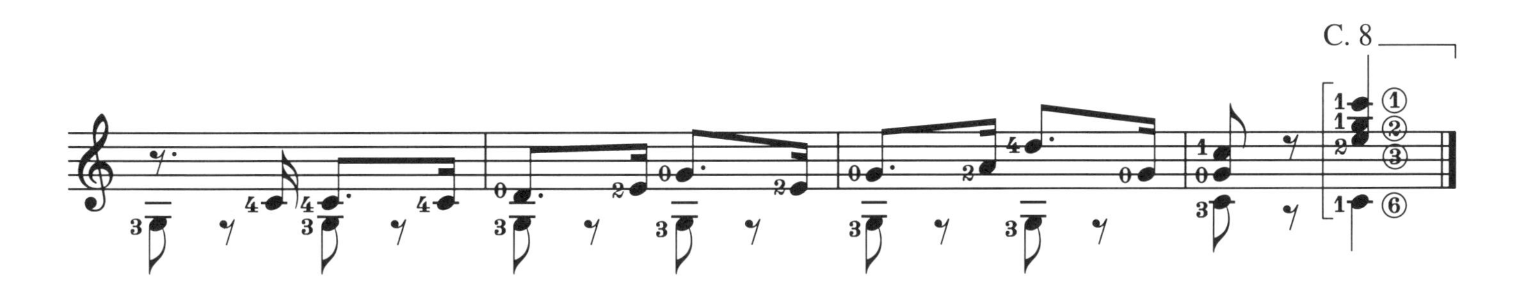
C. 8

冬の夜

文部省唱歌

やぎさんゆうびん

團伊玖磨 作曲

雀の学校

弘田龍太郎 作曲

靴が鳴る

弘田龍太郎 作曲

お山の杉の子

佐々木すぐる 作曲

mf
f
mf
mp
V
mf
III

四季の歌

荒木とよひさ 作曲

村 祭

文部省唱歌

リンゴのひとりごと

河村光陽 作曲

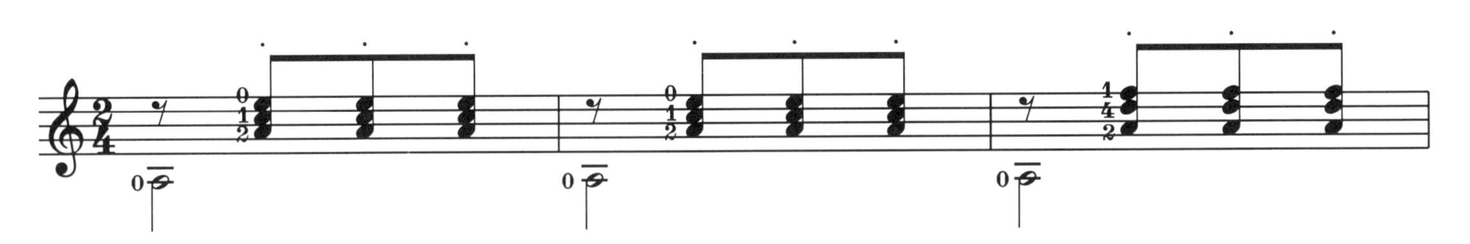

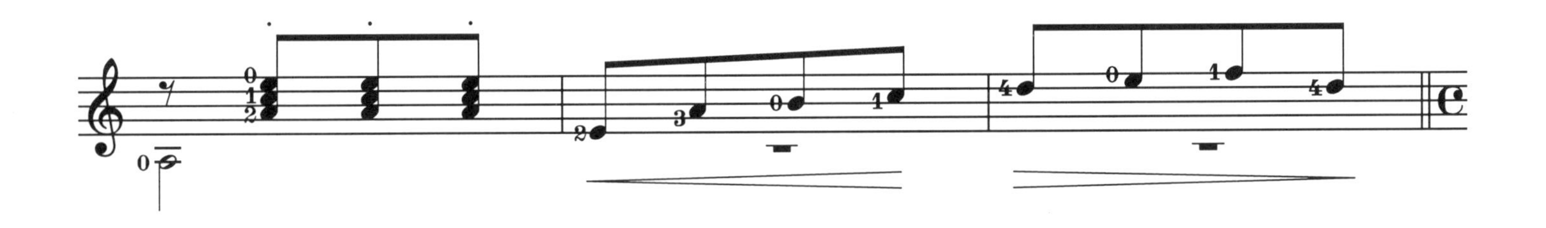

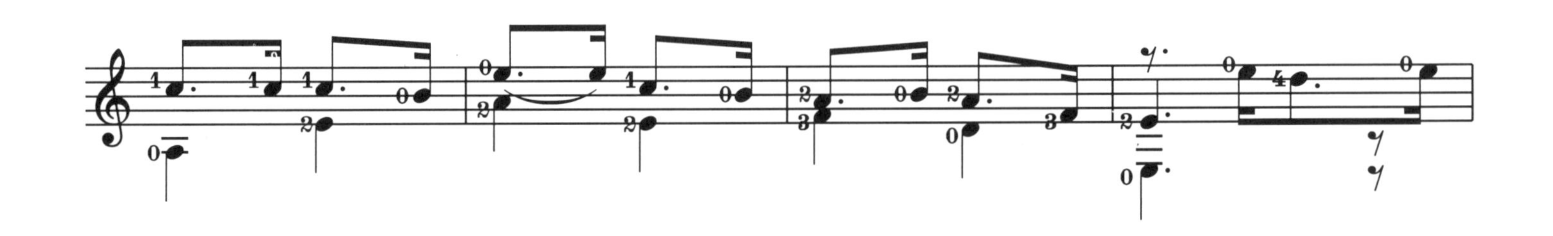

rit.
1.
2.
dim.
p
pp

あの子はたあれ

海沼 実 作曲

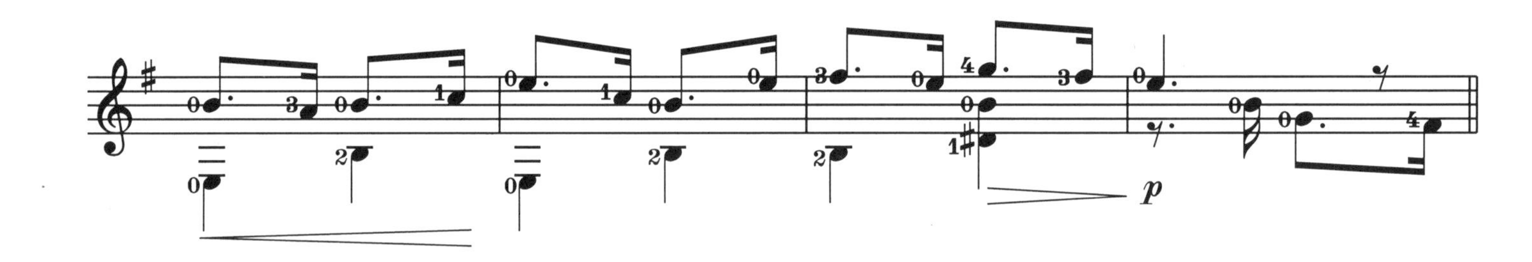

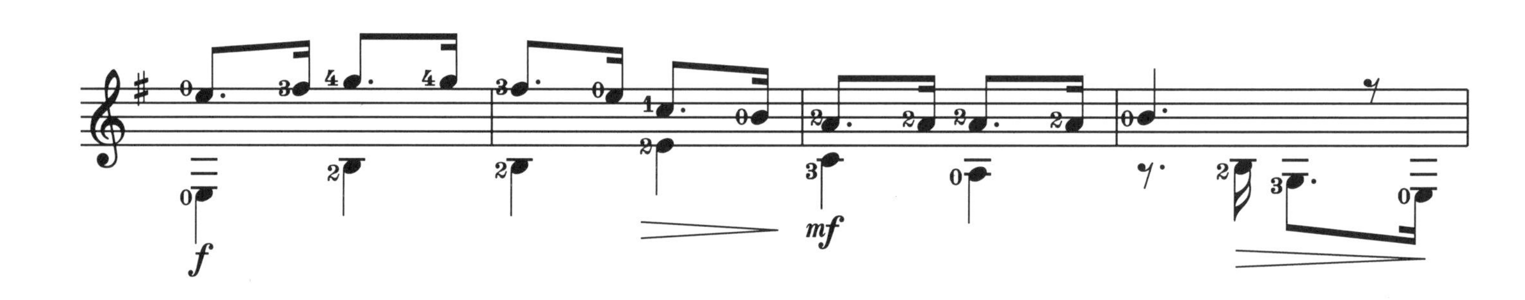

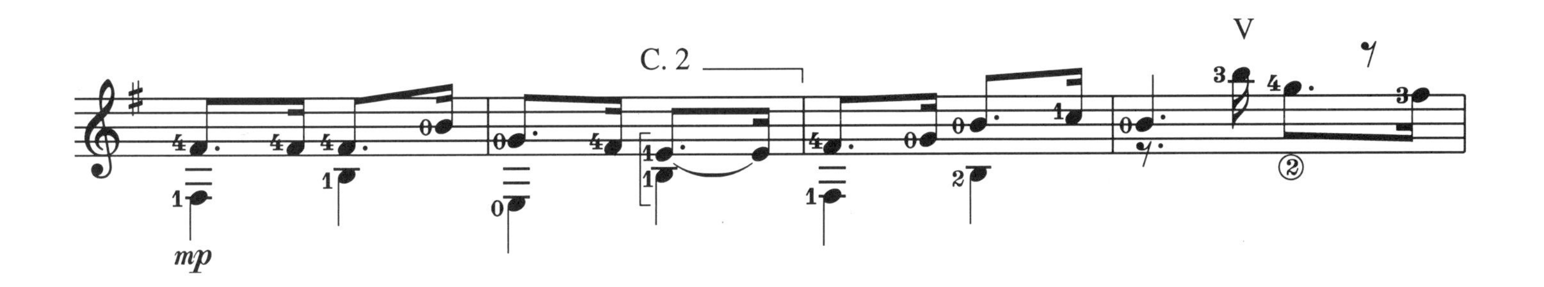
C. 2
V
mp

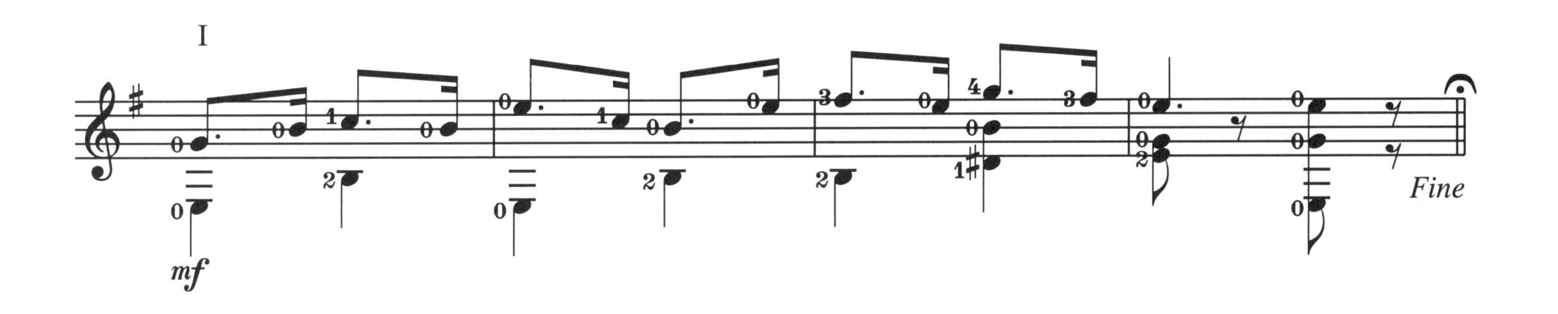
I
mf
Fine

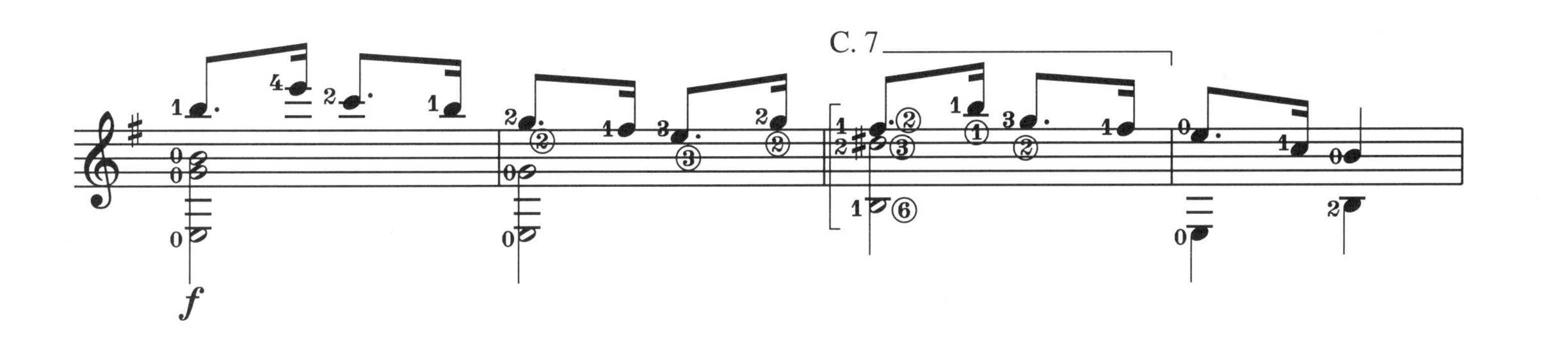
C. 7
f

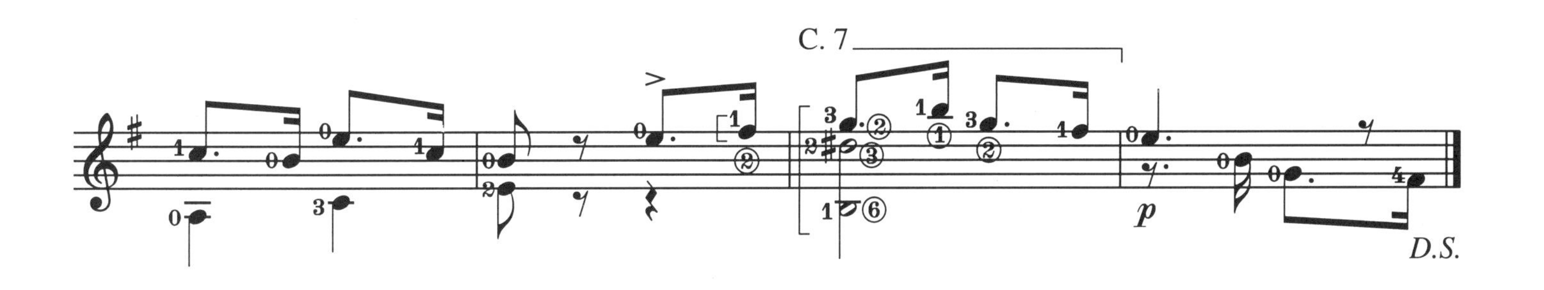
C. 7
p
D.S.

十五夜お月さん

本居長世 作曲

汽車ポッポ

本居長世 作曲

中級編

竹田の子守唄

京都地方民謡

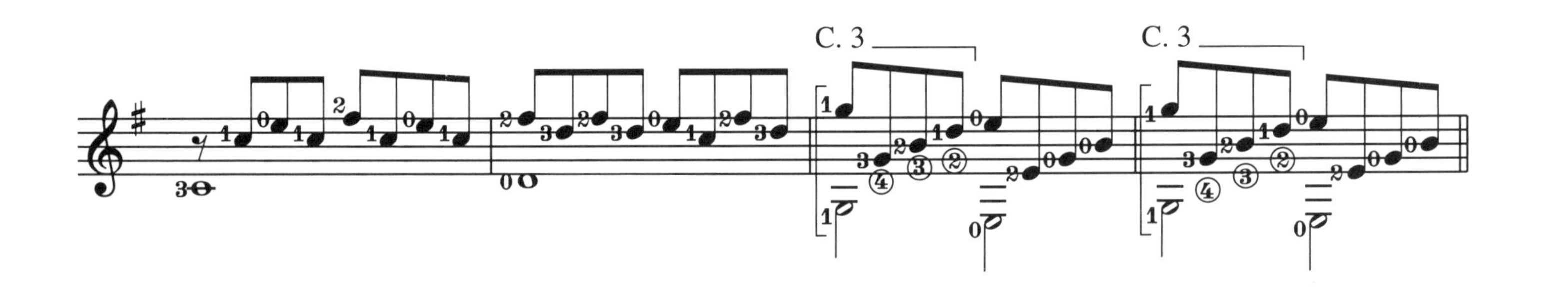

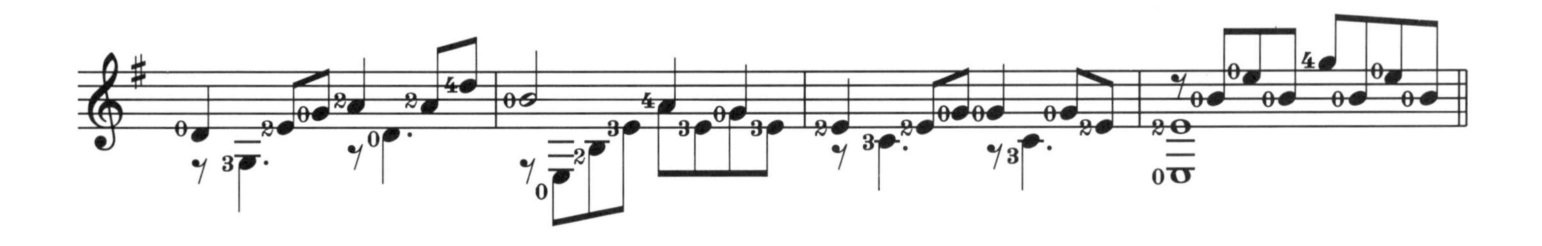

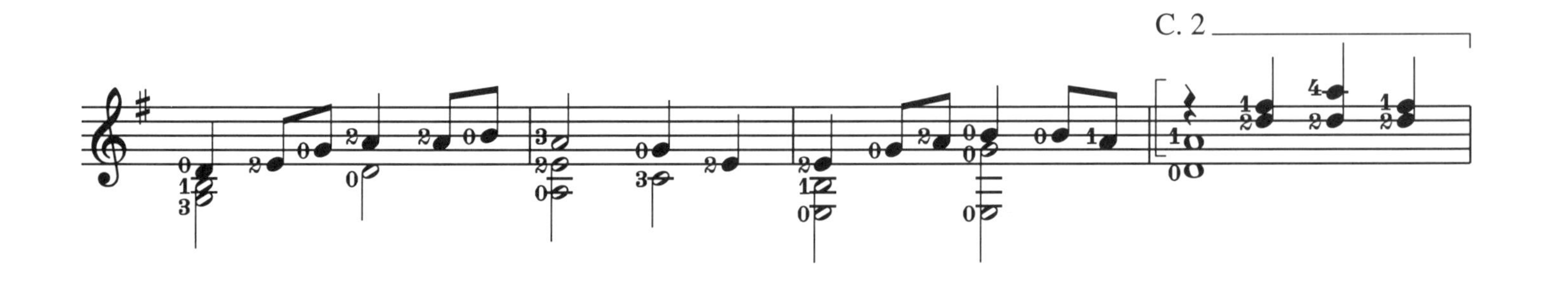

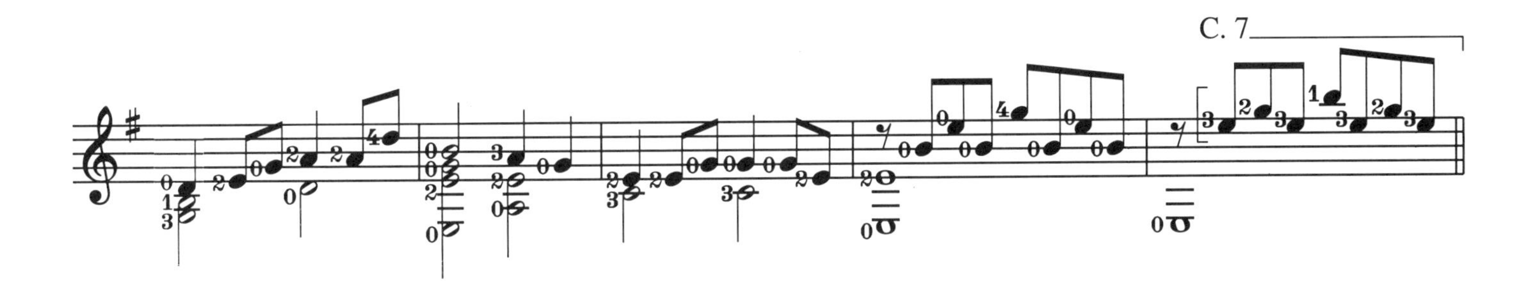
C. 7

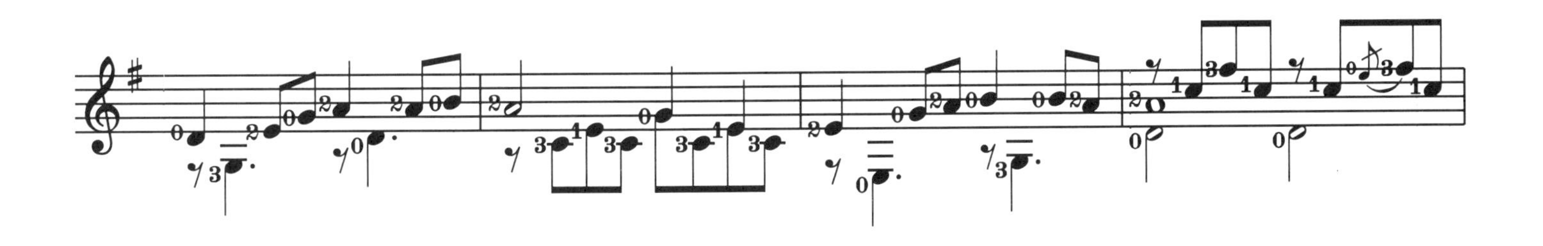

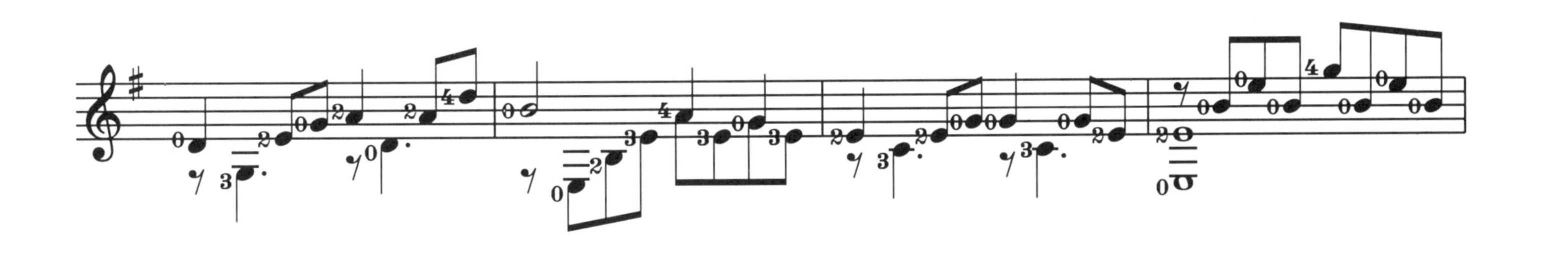

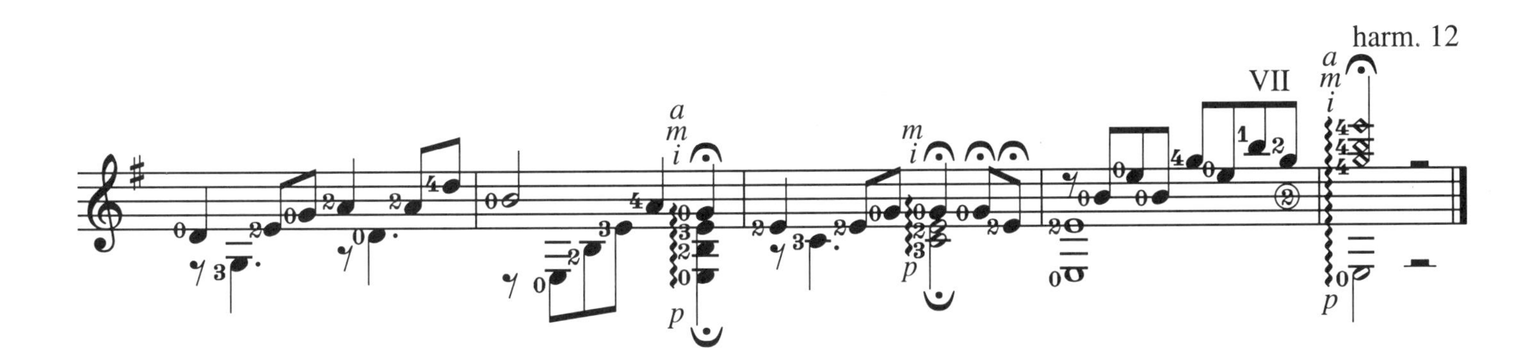
VII
harm. 12

今日の日はさようなら

金子詔一 作曲

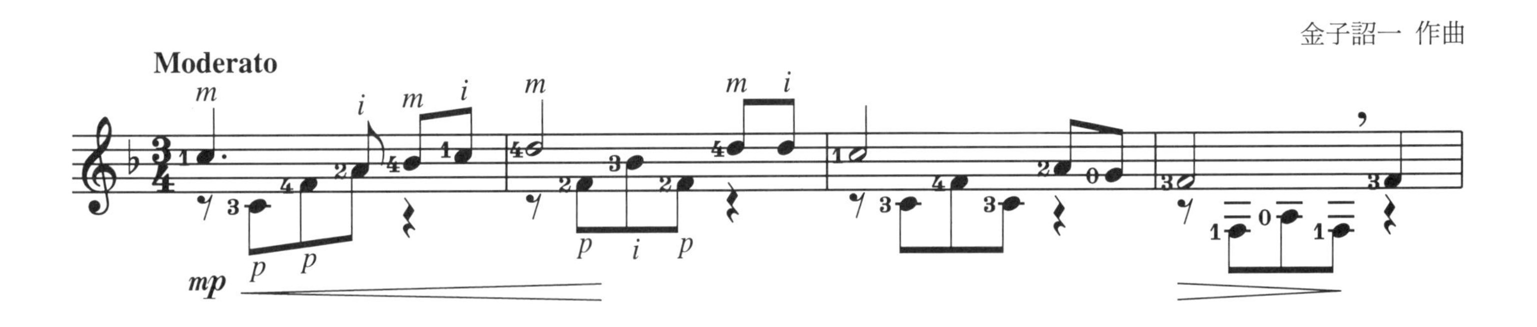

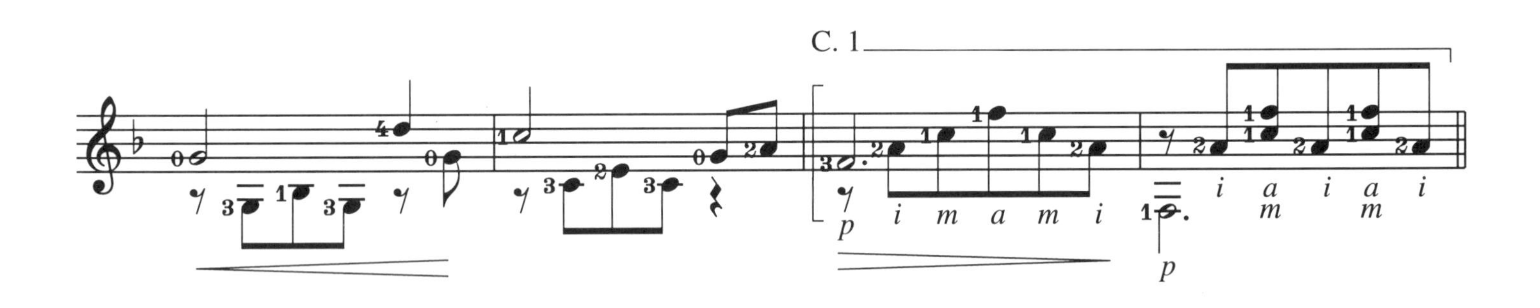

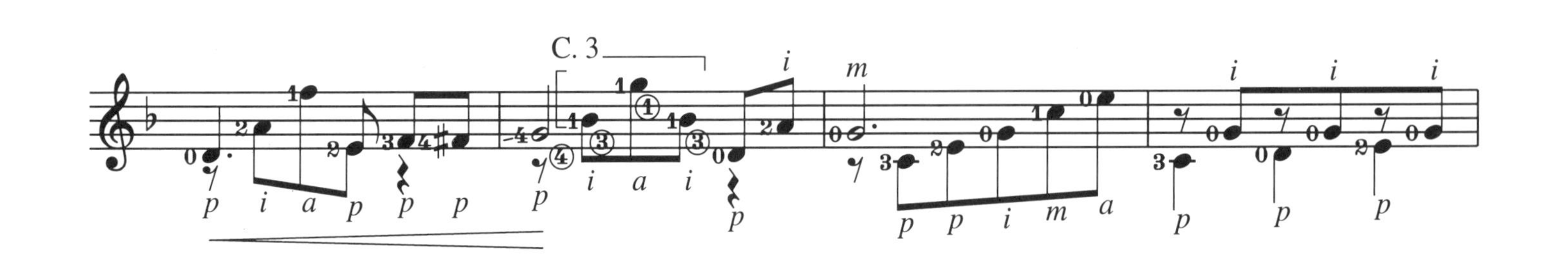

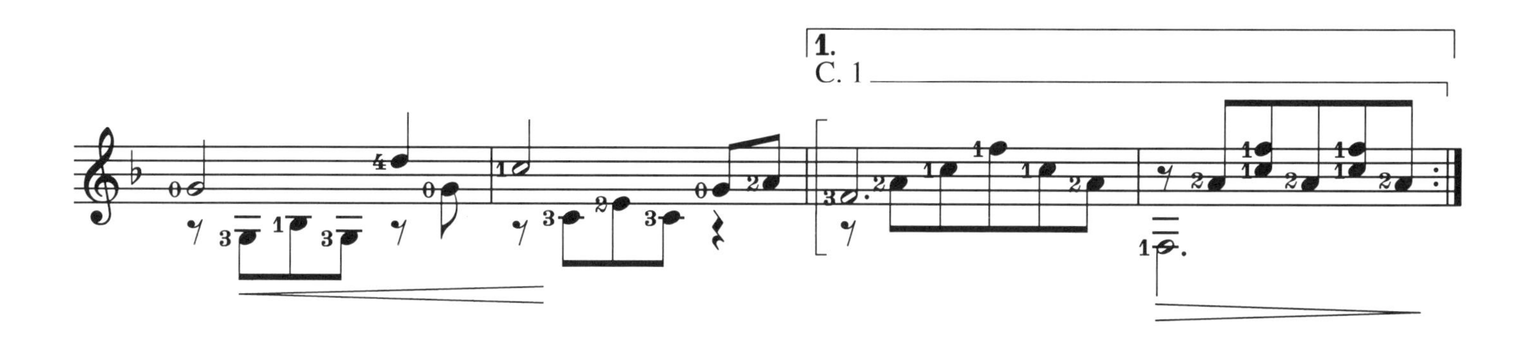
1.
C. 1

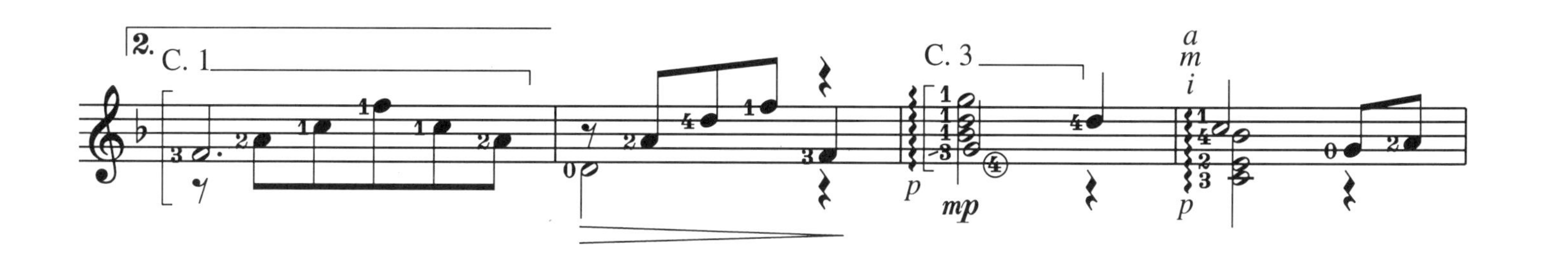
2.
C. 1
C. 3
p
mp
a
m
i
p

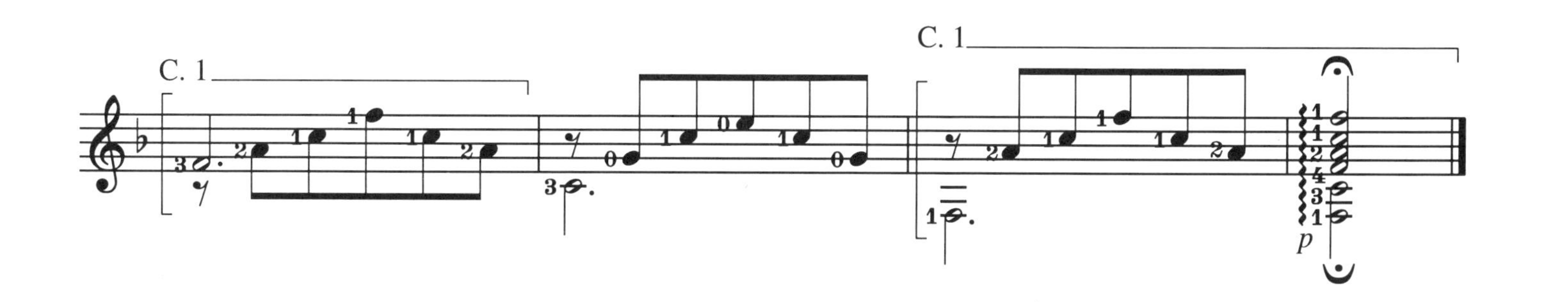
C. 1
C. 1
p

森の小人

山本雅之 作曲

to
Coda
D.C.

ないしょ話

山口保治 作曲

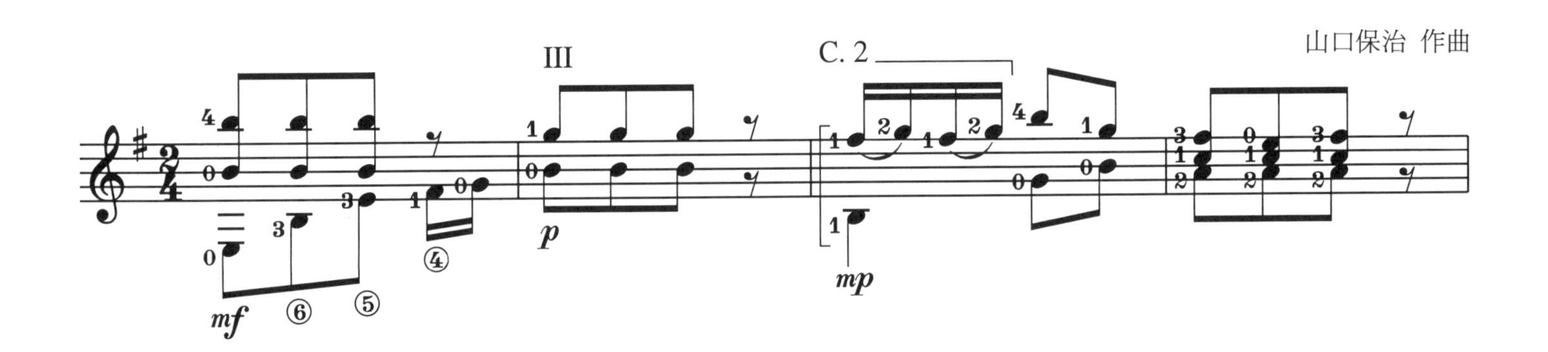

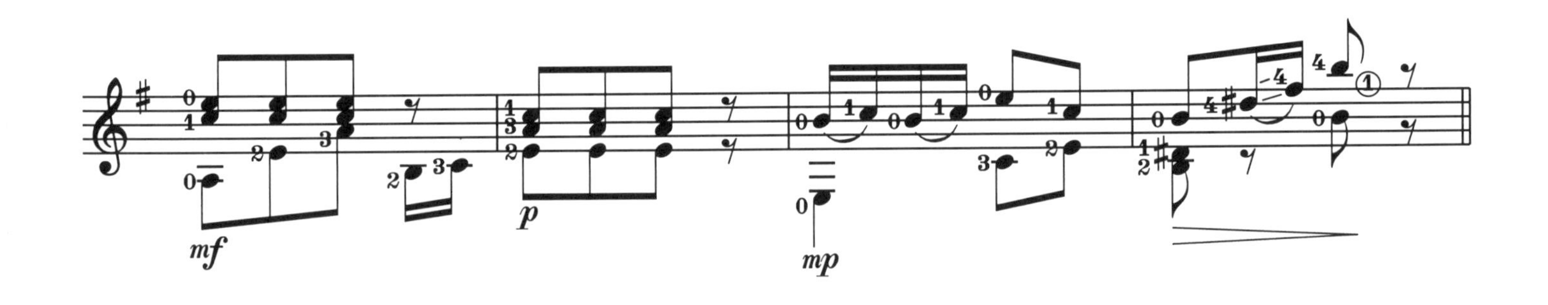

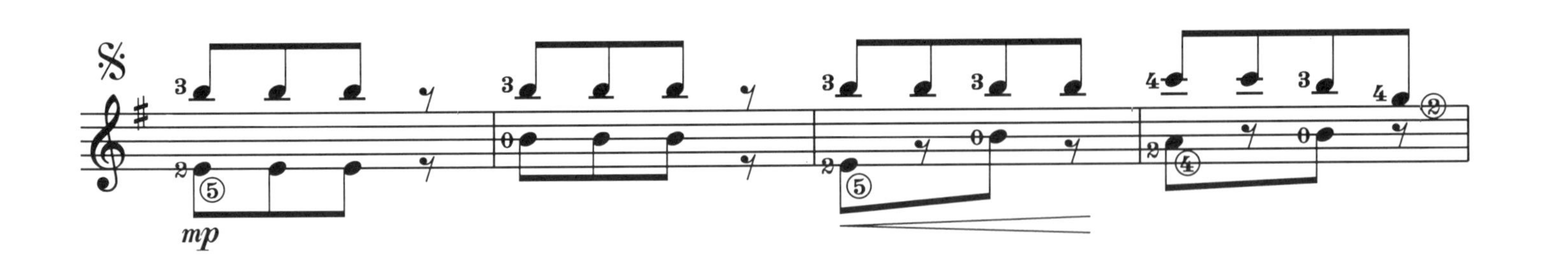

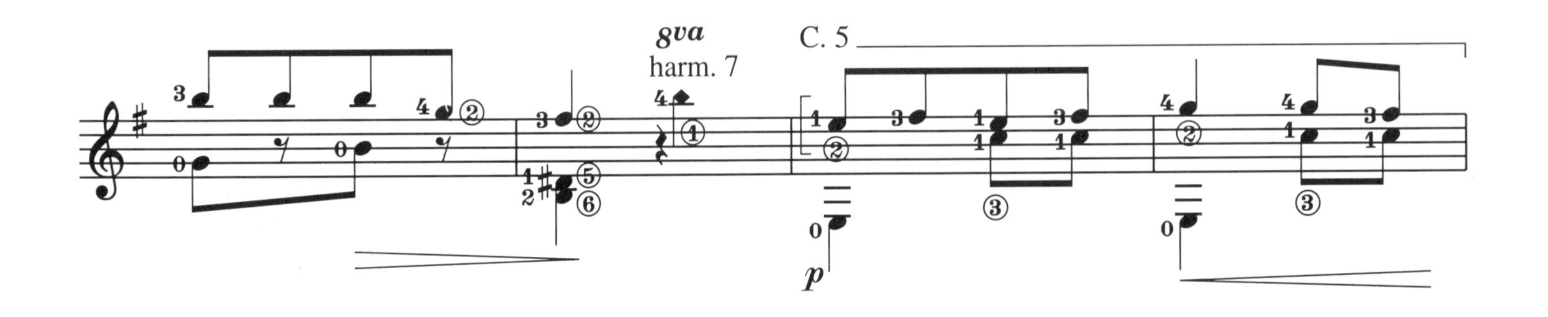

mp
C. 5
harm. 12
Fine
D.S.

子鹿のバンビ

Allegro
VII
C. 7
平岡照章 作曲
C. 7
C. 7
I
f
mf
i
m
i
mf p
p
p

C. 5
mf
to
1.
f
2.
C. 1
cresc.
f
Coda
mf

花かげ

豊田義一 作曲

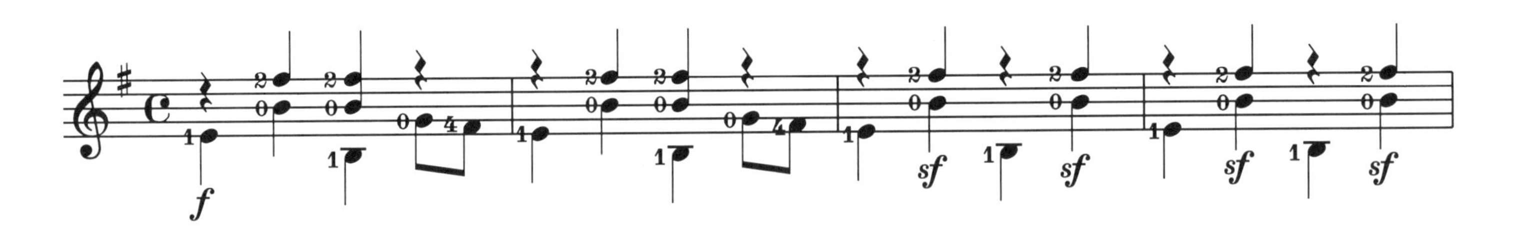

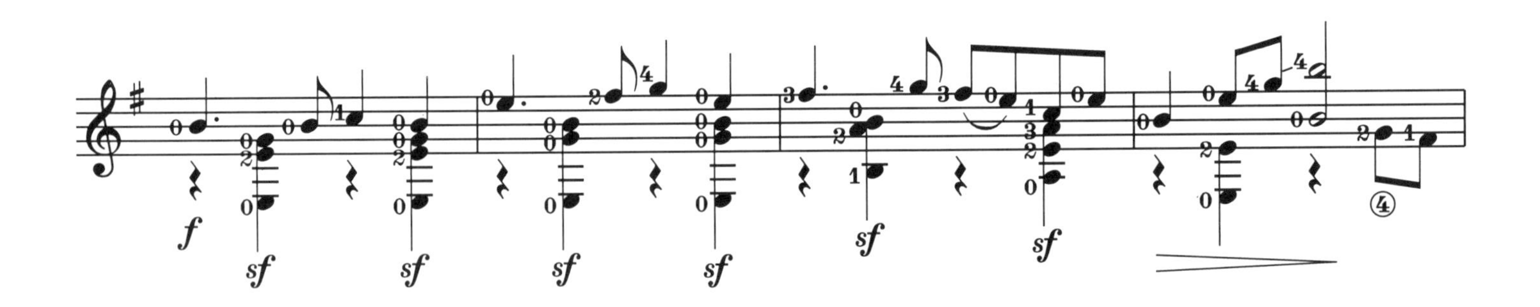

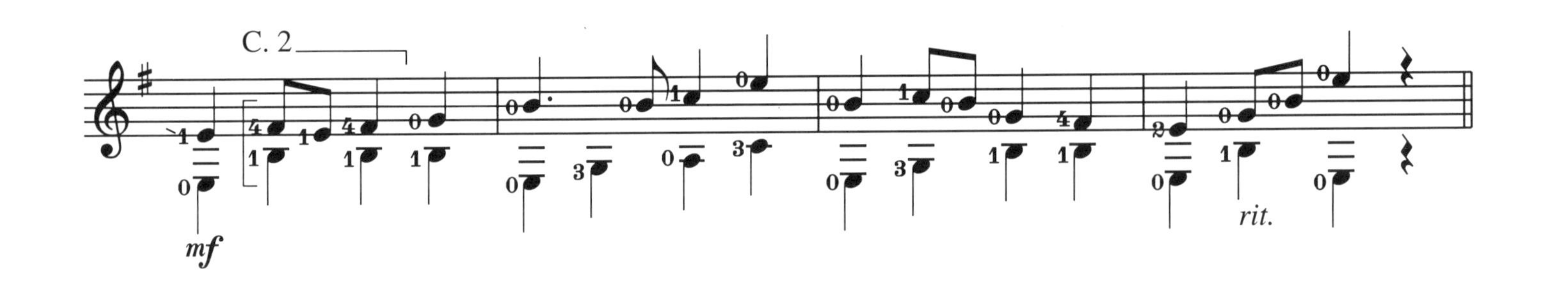

III
mf
f
sf
C. 2
mf
1.
2.
harm. 8va

朝はどこから

橋本國彦 作曲

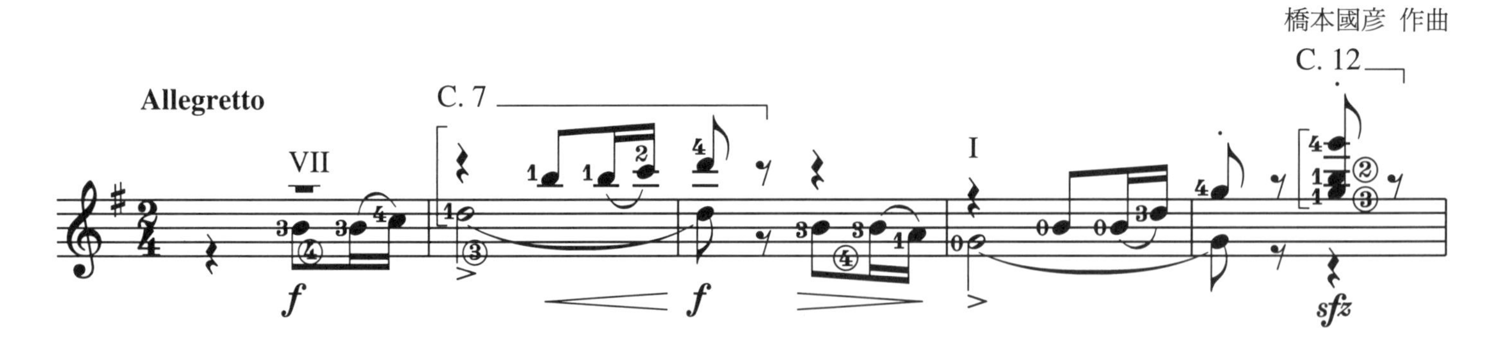

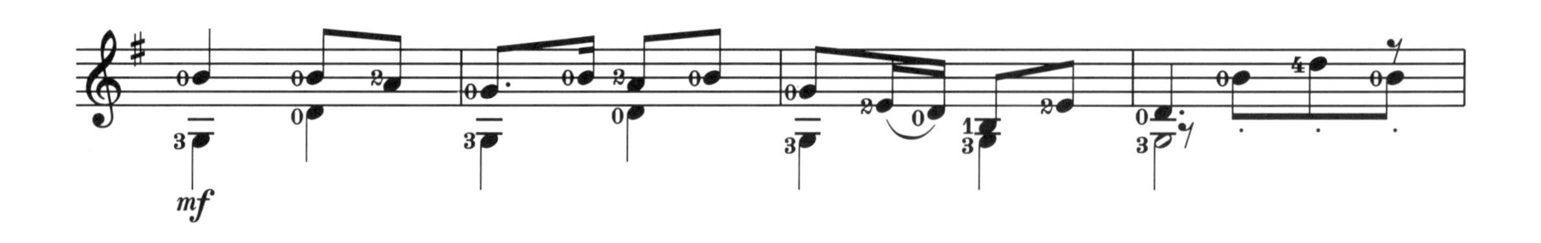

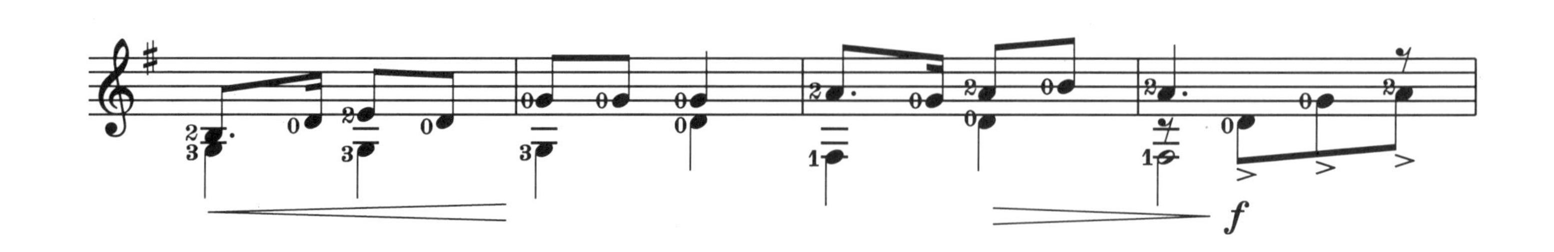

mf
f
VII
f
C. 7
I
C.12
f
f
mf
sfz

花

滝廉太郎 作曲

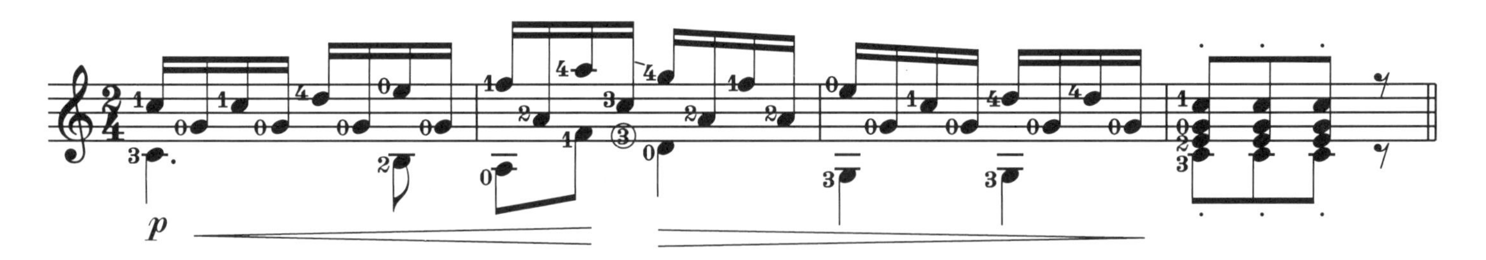

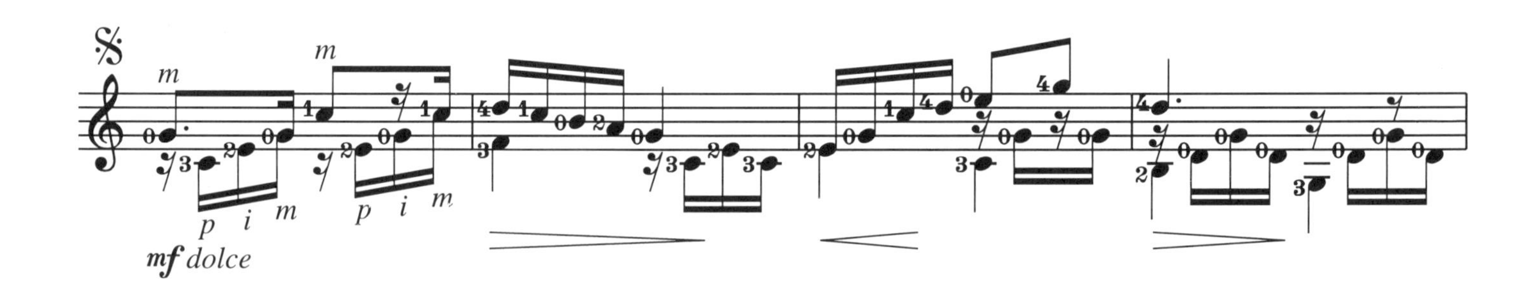

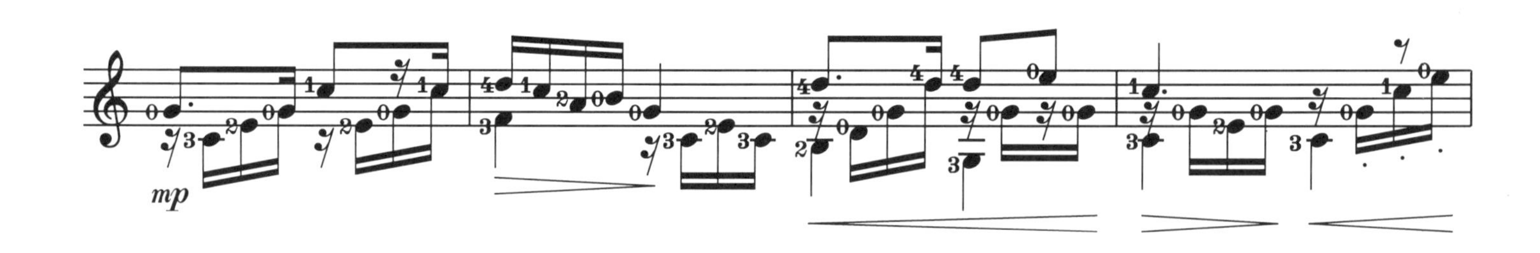

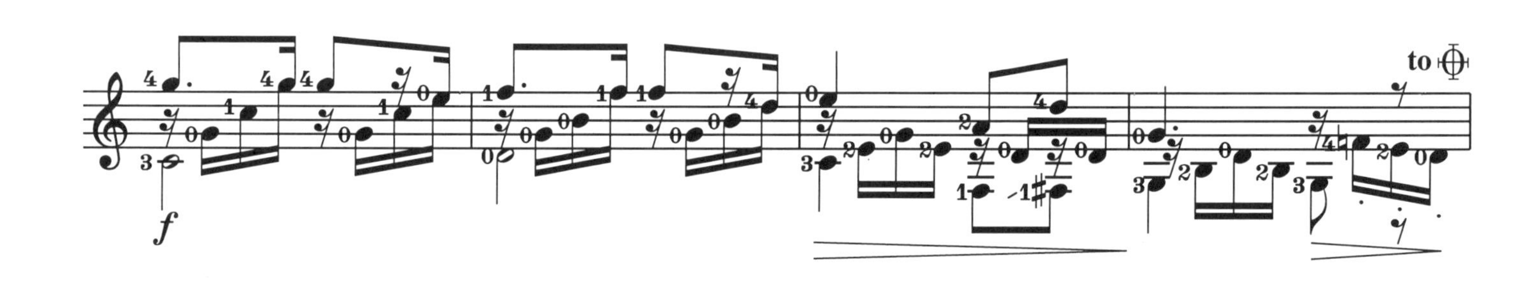

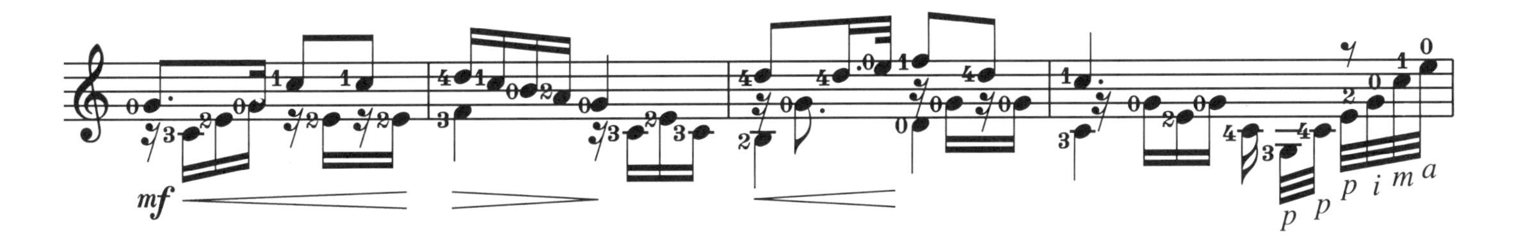
mf
p p p i m a

f
D. S.

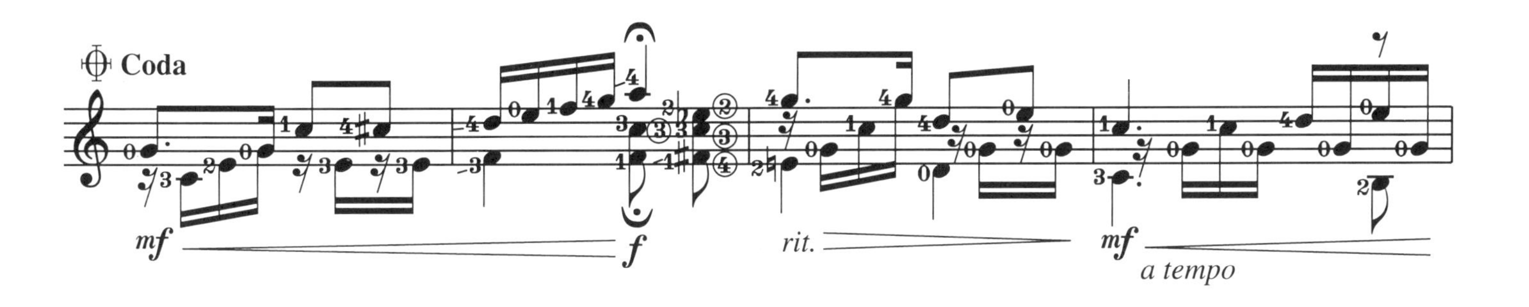
Coda
mf
f
rit.
mf
a tempo

rit.

牧場の朝

船橋栄吉 作曲

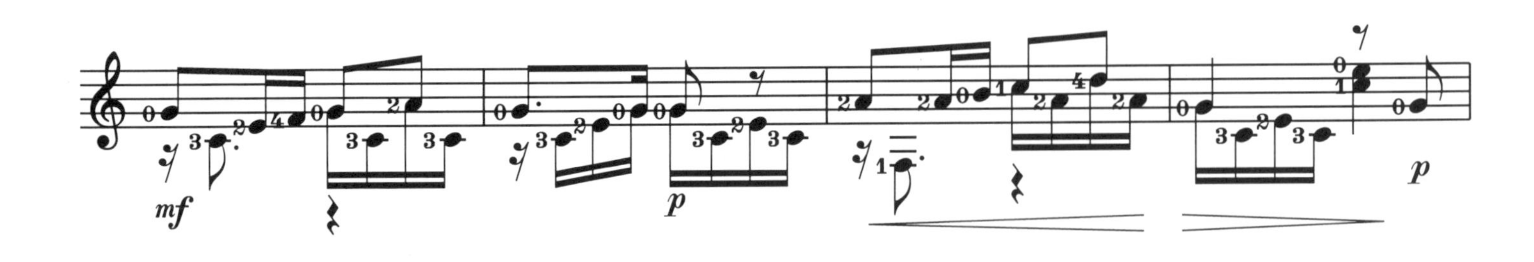

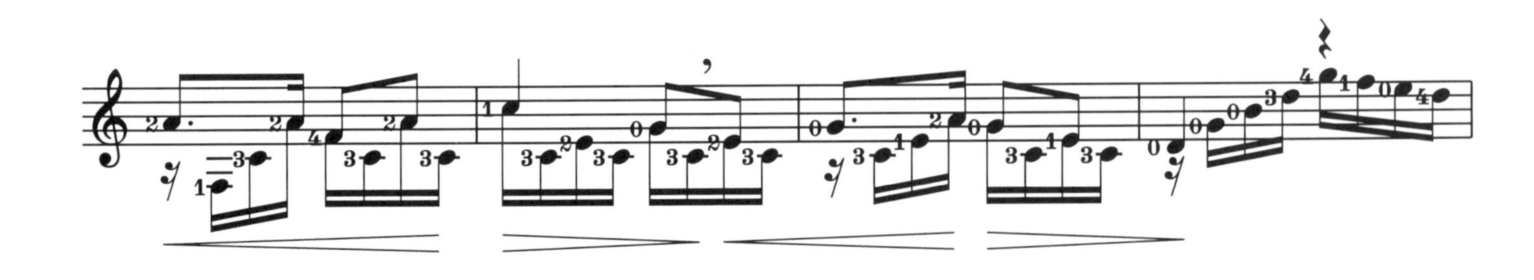

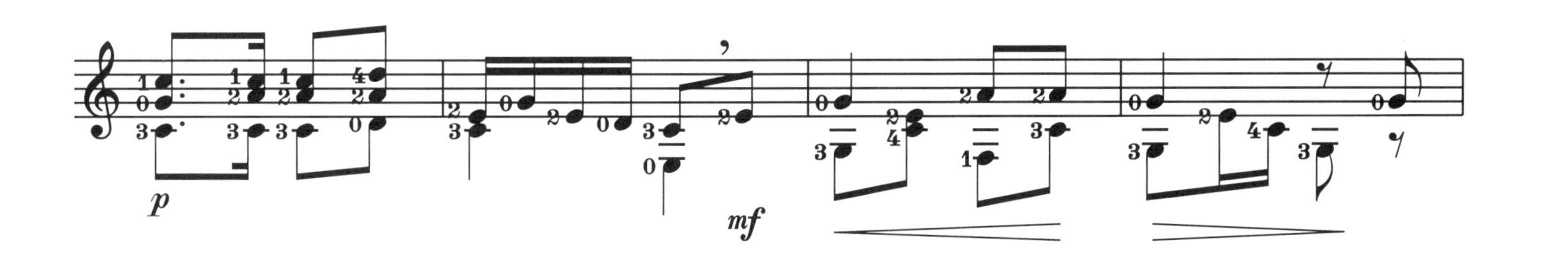
p
mf

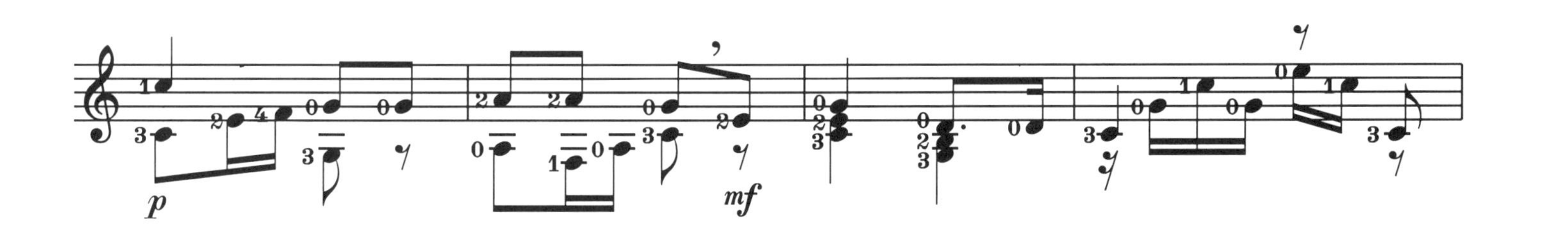
p
mf

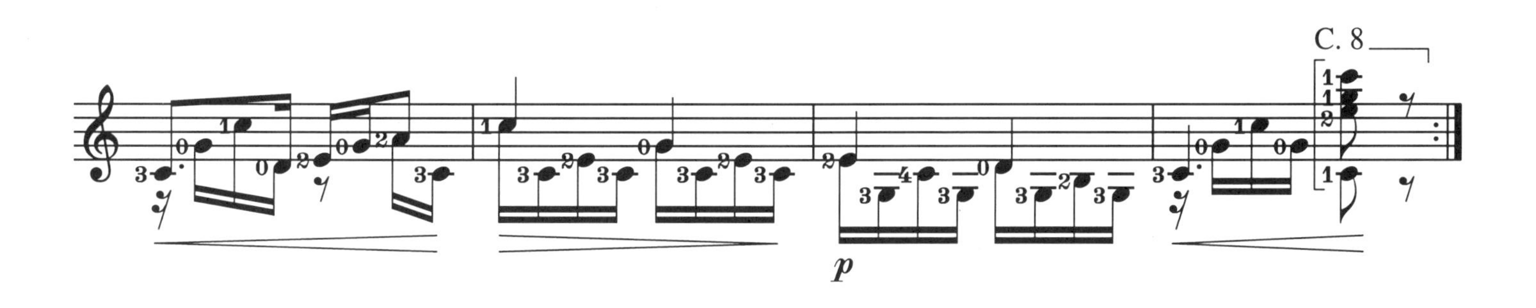
C. 8
p

mf
p

砂山

山田耕筰 作曲

VII
VII
a
m
i
p
C. 2
harm. 8va
a
m
i
harm. 12
p

中国地方の子守歌

Andante sentimentalamente ma con moto un poco
岡山県民謡
山田耕筰 編・作曲
harm. 12
harm. 12

C. 2
a
m
i
C. 4
harm. 8va
(8va)
(8va)
(8va)
harm. 12
p

翼をください

村井邦彦 作曲

C. 1
C. 1
to
C. 1
a
m
i
p p
Coda
C. 1
1.
2.
C. 8

蛙の笛

海沼 実 作曲

鎌倉

作曲者不詳

Var. 1
C. 7
harm. 8va
19
C. 7
harm. 12
C. 7
harm. 12

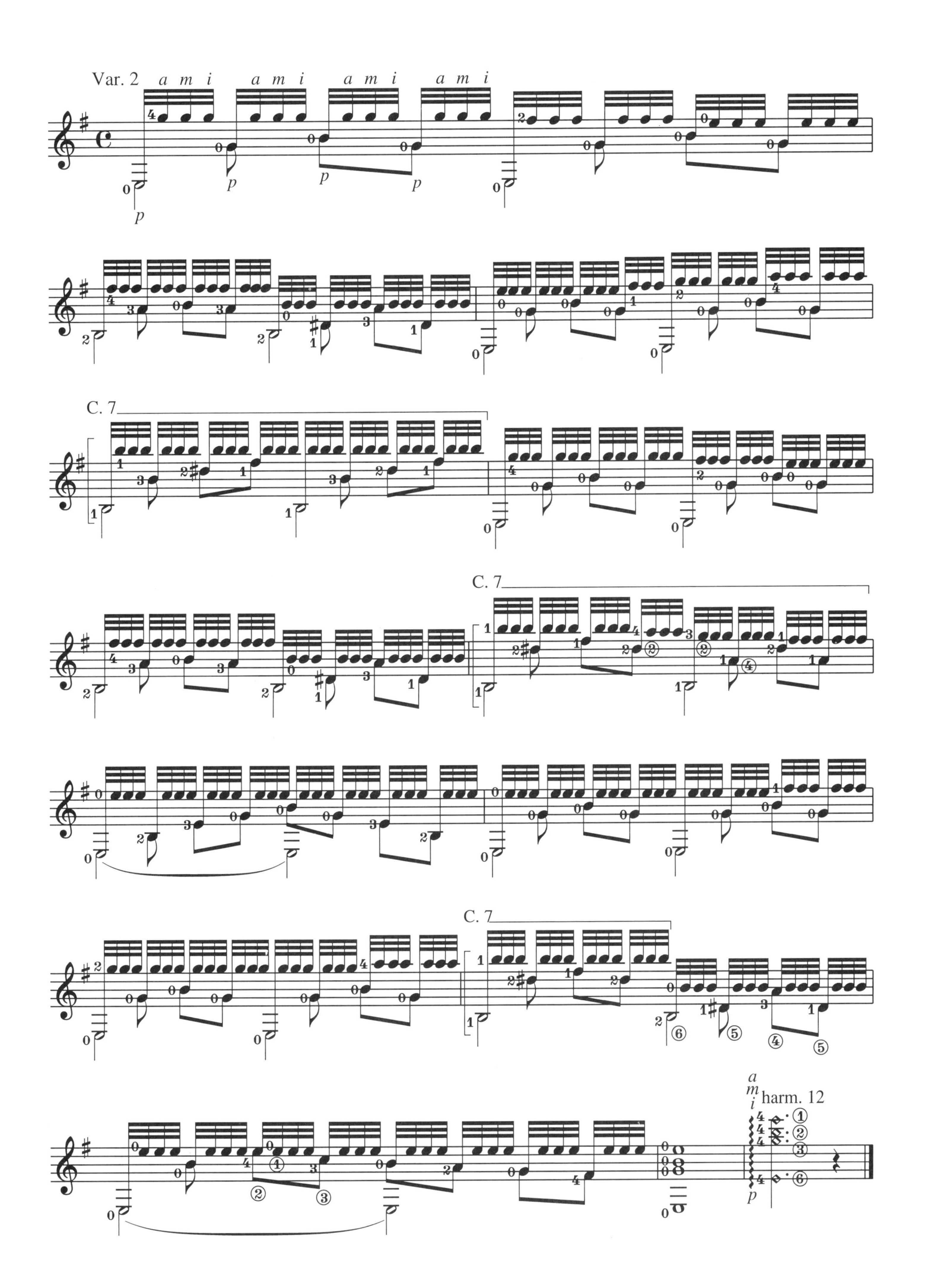
Var. 2
a m i a m i a m i a m i
p p p p
C. 7
C. 7
C. 7
a
m
i
harm. 12
p

いい日旅立ち

谷村新司 作曲

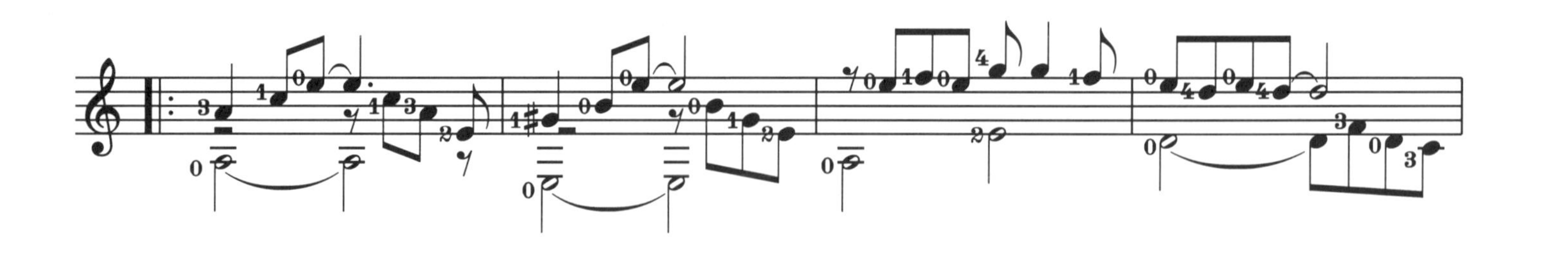

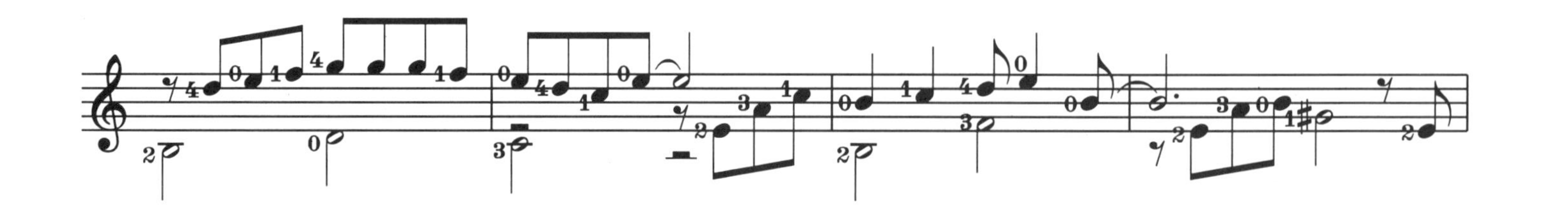

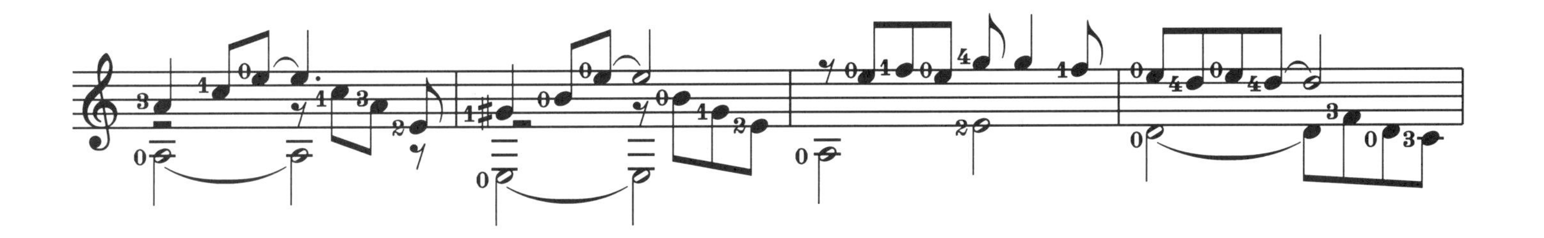

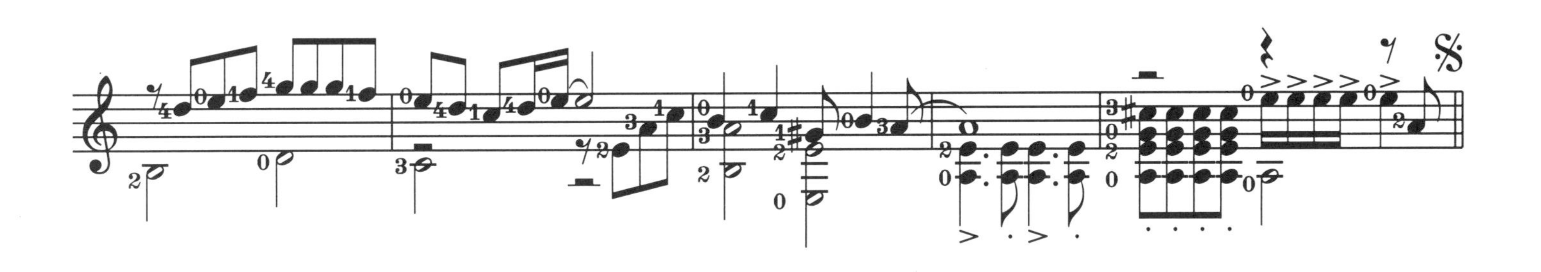

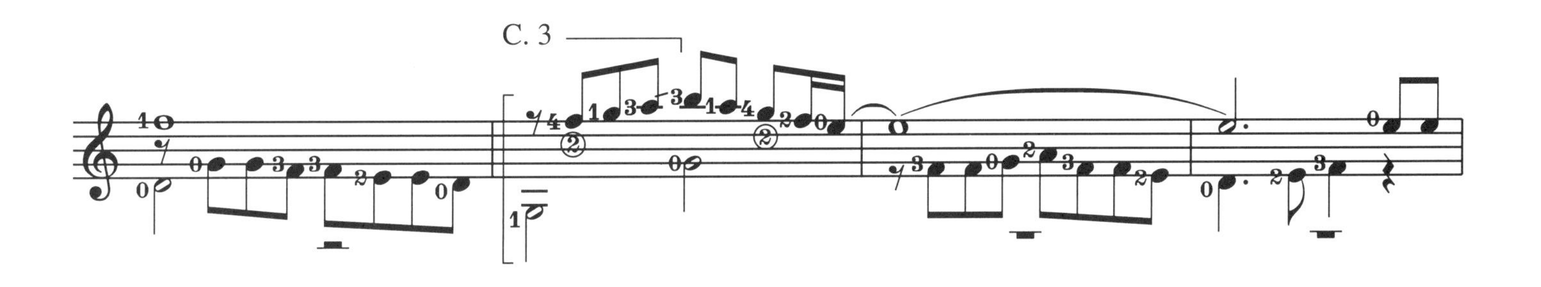
C. 3

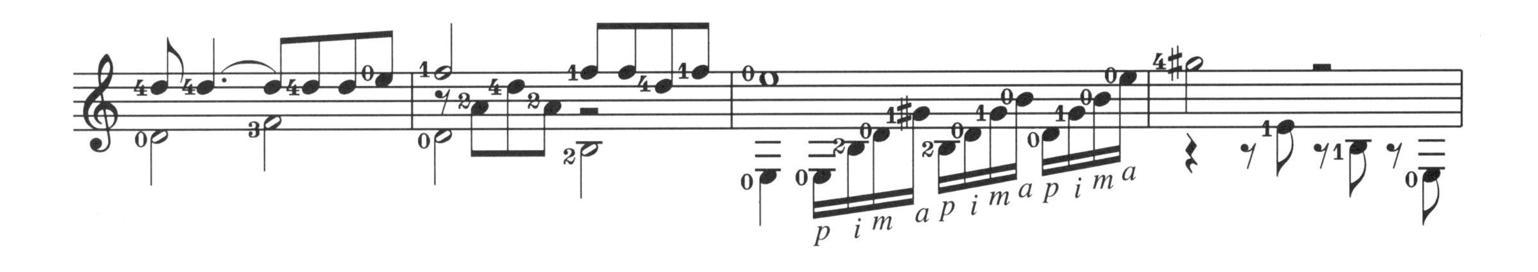
p i m a p i m a p i m a

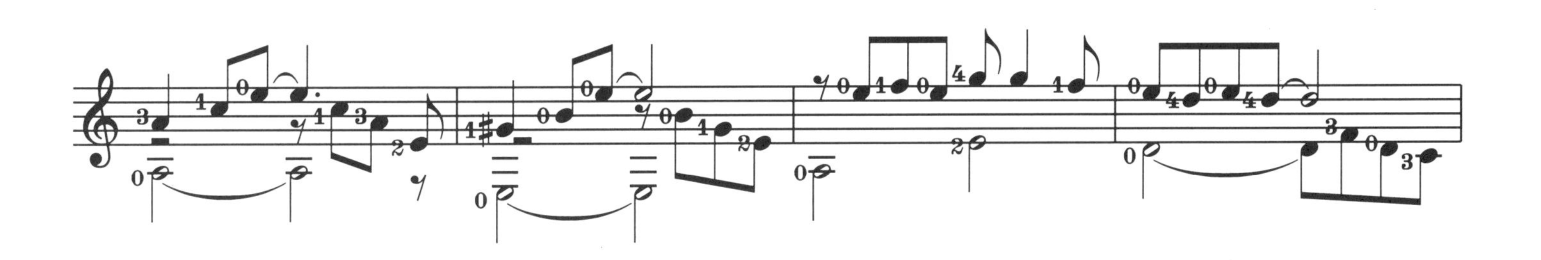

1.
to
p i m a
C.5
2.
D.S.
Coda
V
C. 5
X
VII
C. 5

乾杯

長淵 剛 作曲

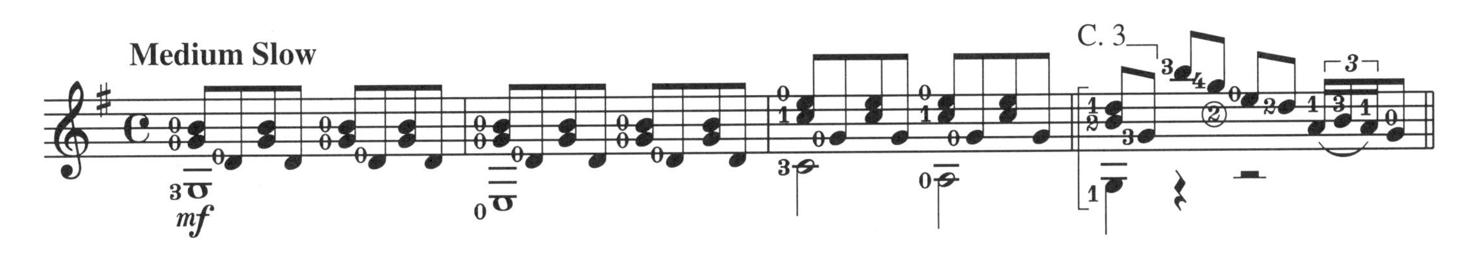

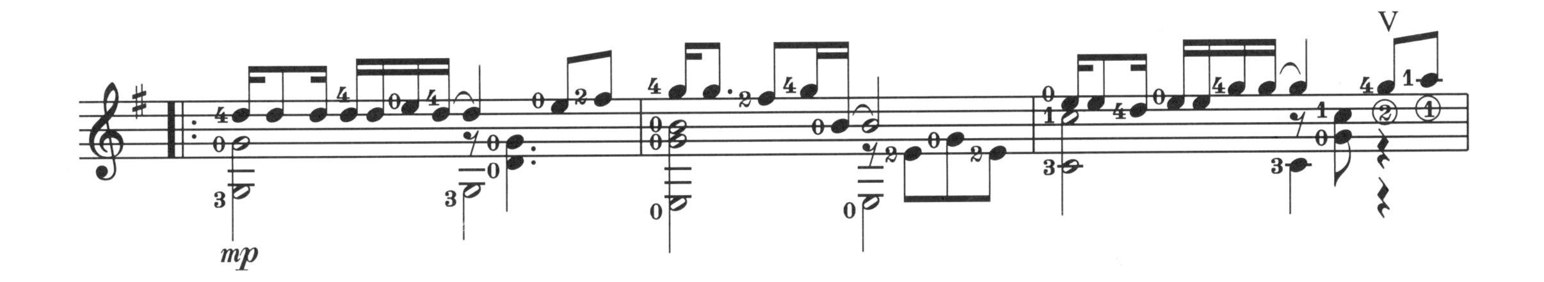

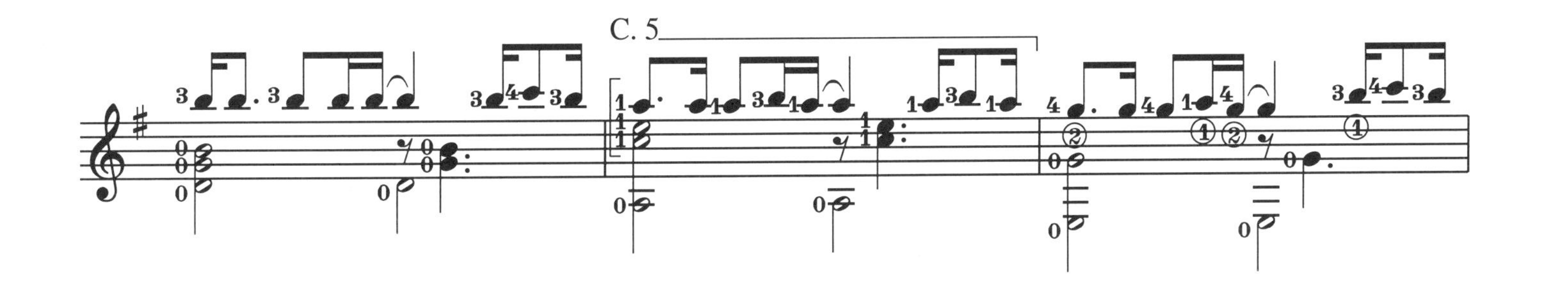

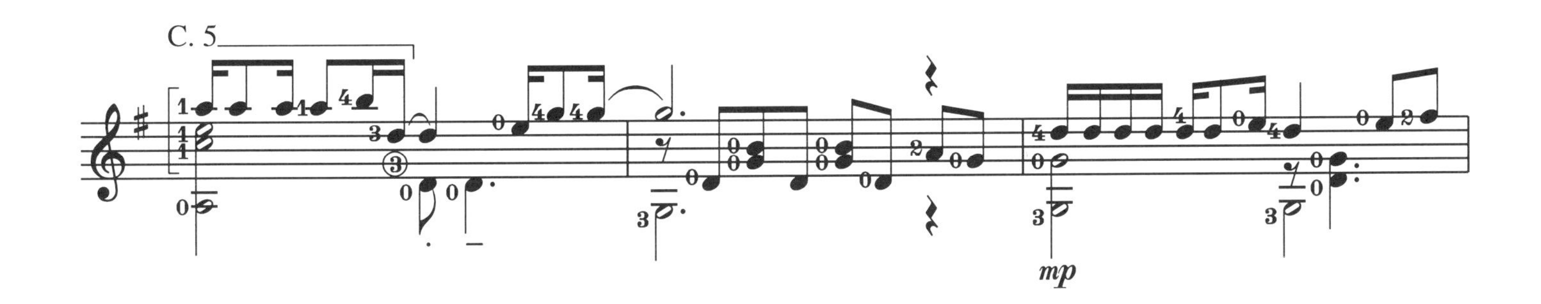

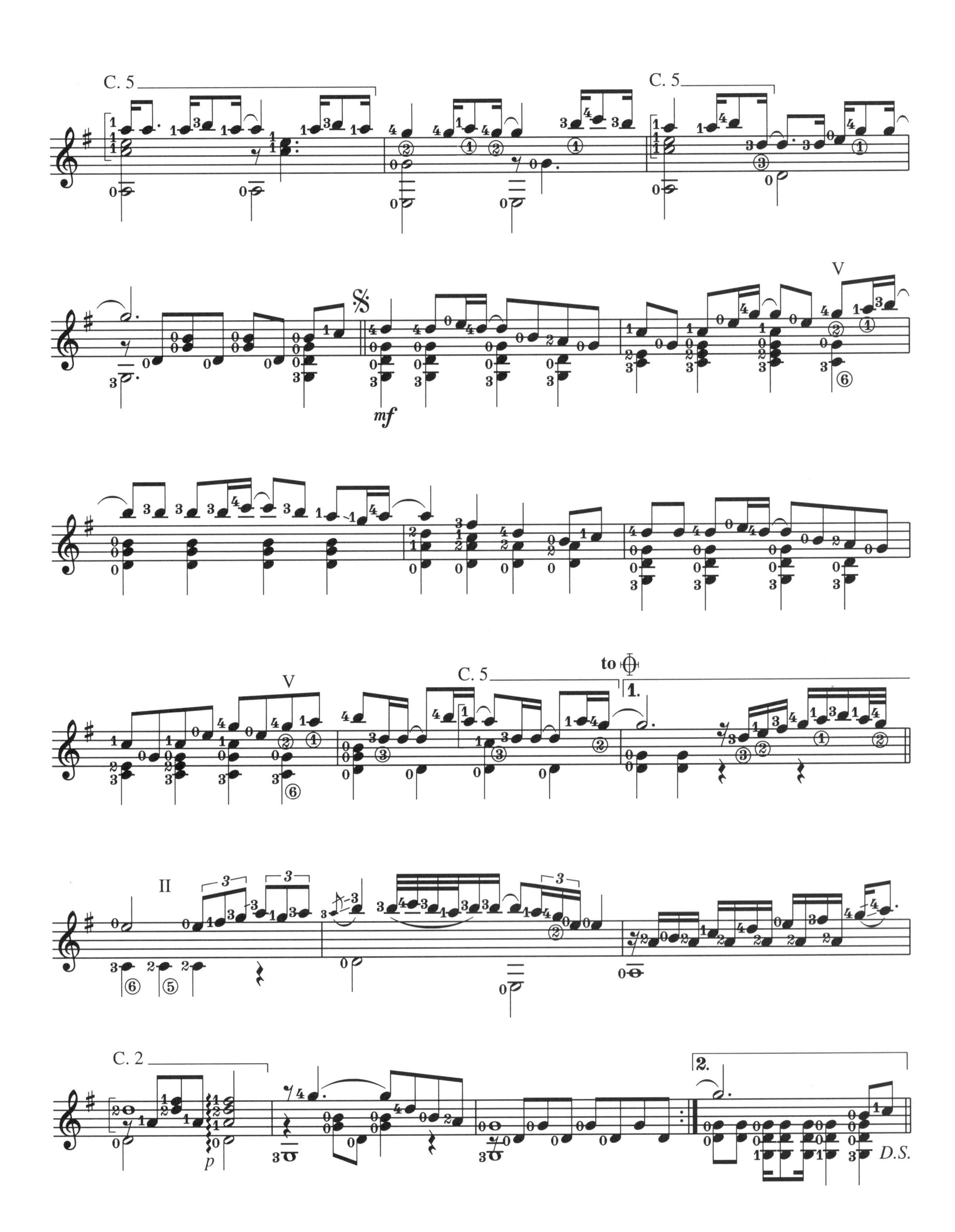
C. 5
C. 5
V
mf
V
C. 5
to 𝄌
1.
II
C. 2
p
2.
D.S.

Coda
C. 3
C. 3
Tamb.
V
V
X
V
V
I
VII
V
C. 3

プロフィール

岩見谷洋志（いわみや　ひろし）

1948年　秋田生まれ。20歳の時から、ギターを北村謙氏、音楽理論を作曲家・藤田耕平氏に師事。

1976年　ウィーン国立音楽大学ギター科に留学。世界三大女流ギタリストであるルイゼ・ワルカー教授に師事。実技・理論を修了し1979年帰国。
現在、東京・横浜を中心とした各地のコンサートで活躍中。また、ギター講師として関東一円で教授活動を続けている。
NHK－FM, TOKYO－FM, 民放ラジオ・テレビにゲスト出演。
国際ギター協会理事
日本ギター連盟理事

著　書：手作りの教本「わたしのギター」
ギターの基礎①「基本奏法」
ギターの基礎②「エチュード集Ⅰ」
やさしいアレンジ曲集「モーツァルト・ギターの旅」「チャイコフスキー・ギターの旅」
「ベートーヴェン・ギターの旅」
「わたしのギター小品アルバム」
「映画名曲ギターの旅」
「日本の抒情・ギターの旅」
「世界の抒情・ギターの旅」
（以上、中央アート出版社刊）

"A JOURNEY TO JAPAN" playing on Guitar
日本の郷愁・ギターの旅　MSK 61

1998年8月31日　第1刷発行

編著者：岩見谷洋志©
発行者：吉開狹手臣
発行所：CAD CHUO ART PUBLISHING CO., LTD 中央アート出版社

〒104－0031　東京都中央区京橋3－7－13
TEL 03－3561－7017（代）
FAX 03－3561－7018
振替口座　00180－66324
日本音楽著作権協会（出）許諾番号第9808408－801号

表紙：林　忠生
楽譜：IMES
写植：木杏舎
印刷・製本：倉敷印刷株式会社

JASRACの承認により許諾証紙貼付免除

ISBN 4－88639－863－4　C 0073